古典·哲学时代

鬼谷子哲学

俞棪 / 著　马东峰 / 主编

北京理工大学出版社
BEIJING INSTITUTE OF TECHNOLOGY PRESS

自　序

余于民国初元，始读《鬼谷子》。辄苦其古奥，以为非浅学所能解。尝望安得乐壹、皇甫谧诸家注而一读之。顾其书早亡，卒不可得。越数载，复寻绎其义，稍增兴会。因辄介之于昆弟朋好，共同研索，冀或有得。顾朋辈中类以其义蕴不易诠释，咸嘱余为任述作之役。

余幼孤，贫窭失学，无所师承，夫讵敢妄有所论述？惟心焉识之，期异日或得当一申其志云尔。迨十二年冬，余自辽海南归岭表。襄垣李君枫桥自平寓书，督望甚殷。余以庸陋，奔命海隅。私意亦欲于此暇日，姑试为之。顾每一执笔，辄自觉其空疏，稿成而毁者三，遂废然而辍。夫然后知述学之匪易，断非浅学者所能任也。

虽然，自斯以还，每一研诵，遂为札记以志其意。积日累年，忽忽十载，所记凡若干条。虽意无所信，虚而无实，然以战国时代学人辈出，其与鬼谷先生同时并世或先后者不少。其文体义理，较相近接。取彼释此，义自恰当。至于学说从同，或且溯流寻源，而本出于鬼谷者，则举一反三，其理益显。其或义无可索，则取之秦汉诸家学说，虽历时稍远，而旁搜远绍，摭其片词胜义，亦足资诠诂。以视陶注之以己意诠释者，其取径自殊，庶几或犹不悖鬼古先生之真义也欤?

至于《鬼谷》原书，历代传本，文多舛错。余维战国初期作品，文多从韵，以便口诵，流习传授，斯为正宗。《鬼谷》文中错简，类多可以古韵校正。因不避梼末，辄择其于义尤晦涩者，为易其序。至文中讹误，传袭既久，亦抉其最不通者，校而正之。于是《鬼谷》文义，始豁然开朗，为初学者所易探悉矣。

然此固一家之私见，固犹待是正于大雅君子也。

二十二年八月

番禺俞棪诚之

江都秦恩复原序

《鬼谷子》不见于《汉志》，至隋唐始著录。新旧《唐书》皆以为苏秦撰。然《汉书》纵横家别有《苏子》三十二篇，其文与《鬼谷》不类。

使苏秦托名鬼谷，班固何以略而不注？陆龟蒙以鬼谷为王诩，王嘉《拾遗记》以鬼谷为归谷，盖归、鬼声转。《尔雅》曰：鬼之为言归也。其谓苏秦假托者，以仪、秦师事鬼谷，而《史记·苏秦传》有"简练揣摩"之语，《鬼谷》书适有《揣》《摩》二篇，遂附会其说，实无所据。或云：周时豪士隐于鬼谷者，近是。

书凡三卷，自《捭阖》至《符言》十二篇，《转丸》《胠箧》二篇旧亡，又有《本经阴符七术》及《持枢》《中经》共二十一篇。柳子厚尝讥其崄盭峭薄、妄言乱世。今观其书，抉摘幽隐，反覆变幻，苏秦得其绪余，即掉舌为纵约长，真纵横家之祖也。

考《说苑》《史记注》《文选注》《意林》《太平御览》诸书所引，或不见于今书，或文与今本差异。盖自五季散乱之后，传写渐失其真，陶阴帝虎，譌脱相仍，不仅

《转丸》《胠箧》也。

注《鬼谷》者，旧有乐壹、皇甫谧、尹知章三家。乐注一见于《文选注》中。《太平御览》数条，亦不著注者名氏，《中兴书目》始列陶宏景注，晁、陈二家继之。贞白生于萧梁，书乃晚出，读者不无然疑。同年海宁周耕厓孝廉以注中多避唐讳，断为是尹非陶，词颇博辩。然亦凭虚臆言，绝无左证。惟马贵舆《文献通考》于陶注下云:《唐志》以为尹知章注，未知孰是。则在宋时已两存其说。幸赖华阳真逸之名，得藉收于《道藏》。无论为陶为尹，皆可决其非宋以后之书矣。

是书刻于乾隆己酉，仅据孙渊如观察华阴岳庙所录本雠校刊行。卢抱经先生重加勘定，至再至三，最后邮示述古堂旧钞，始知《道藏》所存，譌脱正复不少。

读书固难，校书亦不易也。因重付剞劂，一以钱本为主。其有钱本所无，而藏本所有者，审其异同，互相考证，又剌取唐宋书注所引旧注掇而存之，附于本文之下。其或今本亡佚，别见他书及称鬼谷事迹足资参考者，附录于后，以备观览焉。

嘉庆十年乙丑八月十五日江都秦恩复序。

目　录

鬼谷先生事略

鬼谷先生事迹，其详无可考，依《史记·苏张列传》“秦东事师于齐，而习之鬼谷先生”，又曰“仪尝与秦俱事鬼谷先生学术，秦自以不及张仪。”徐广曰：颍川阳城有鬼谷。盖是其人所居，因为号。《风俗通义》曰：鬼谷先生，六国时纵横家。《索隐》曰：鬼谷，地名也。扶风池阳、颍川阳城并有鬼谷墟，盖是其人所居，因为号。扬子《法言》曰：“仪、秦学乎鬼谷术。”王充《论衡》亦言：“苏秦、张仪纵横，习之鬼谷先生，掘地为坑，曰：‘下，说令我泣，出则耐分人君之地。’苏秦下，说鬼谷先生泣下沾襟。”《答佞》篇。又曰：“苏秦、张仪悲说坑中，鬼谷先生泣下沾襟。”《明雩》篇。汉人传说可考者，只此而已。至《隋志》皇甫谧注：“鬼谷先生，楚人，生于周世，隐居鬼谷。”马总《意林》录《鬼谷子序》曰：“周时有豪士，隐居鬼谷，自号鬼谷先生，无乡族里姓名字。”乐壹注云：“此苏秦作书记之也，……。”《文选》李善注：“《鬼谷子序》曰：‘周时有豪士，隐于鬼谷者，自号鬼谷子。’言其自远也。然‘鬼谷’之名，隐者通号也。”又《太平御览》：“……苏秦、张仪往见之，先生曰：‘吾将为二子陈言至道。’……仪、秦斋戒而往。”见《礼仪部·鬼谷子》。又《中兴书目》：“鬼谷子，……周时高士……苏秦、张仪事之，授以《捭阖》下至《符言》等十有二篇，及《转圆》《本经》《持枢》《中经》等篇，亦以告仪、秦也。……”据《困学纪闻》载，尹知章序《鬼谷子》有云：“苏秦、张仪事之，受捭阖之术十三章，复受《转丸》《胠箧》三章。）又晁公武《读书志》：“鬼谷子，……隐居颍川阳城之鬼谷，因以自号。长于养性治身，苏秦、张仪师之，受纵横之事。叙王伯厚《汉书艺文志考证》引晁公武《读书志》云尹知章叙）谓此书即授仪、秦者。……”晁氏又云，“尹知章叙，秦、仪复往见，先生乃正席而坐，严颜而言告二子以全身之道。”至高似孙《子略》则引苏秦所记。见上《意林》引。其他陈振孙《书录解题》、钱曾《读书记》等称引略同。若王嘉《拾遗记》，则以鬼谷为归谷。《尔雅》曰：鬼之为言归也。《古史考》以为归、鬼声相乱也。《拾遗记》曰：“张仪、苏秦二人递剪发以相活，或佣力写书。行遇圣人之文，无以题记，则以墨书于掌中及股里，夜遂折竹写之。二人假食于路，剥树皮为囊，以盛天下良书。每息大树之下，假息而寐。有一先生问曰：‘二子何勤苦若是？’而仪、秦共与言论曰：‘子是何人？’答曰：‘吾死生于山谷，世论谓余归谷子也。’秦、仪后游学，复逢归谷子，乃请其学术，则教以干世俗之辩。乃探胸中韦帙三卷，书言辅时之事，故仪、秦学之以终身也。”按《拾遗记》多附会之词，不可尽信。

综观历代传说，以下判断，知鬼谷先生故为周世之隐者，楚人，隐居鬼谷，尝游于齐，苏秦因以事师焉。其姓字无可考。马贵舆《通考》引晁氏《读书志》有“《隋志》以为苏秦书，……陆龟蒙诗谓鬼谷先生名诩，不详所从出”之言。《道藏目录》以为姓王名诩，晋平公时人，殆附会陆诗而为之词。陆诗所引，晁氏以为“不详所从出”，则其说之不足据，明矣。至新旧《唐书》及乐壹注、王应麟《汉书艺文志考证》，咸疑鬼谷子为苏秦伪托，乐壹注云：“苏秦欲神秘其道，故托名鬼谷。”又言：“鬼之言远，犹司马相如假无是公云尔。”此又均以隋唐著录以为“苏秦撰”之故，因缘其误，故云然耳。详见下文。

据《史记·六国表》及《苏秦列传》，苏子于周显王三十五年西历纪元前三三四年。始说燕文侯。是年秦欲攻赵，“苏子乃激怒张仪入之于秦。”《史记》文。其后慎靓王元年，西前三二一年。燕易王卒，子哙立，齐大夫使贼杀苏子。又按《张仪列传》，仪薨于魏，时为赧王六年。即魏哀王十年，西前三一二年。《史记》称：“苏秦早死，使仪得成其术。”《张仪传赞》。则苏子之不永年可知。苏、张之生年月无可考。计苏子当政十四年，寿不逾五十。张子虽寿，亦不过六十。均在战国中世。总之，鬼谷先生年必长于苏、张，其为战国初期时人无疑。约当墨翟、杨朱之后，依胡适《中国哲学史》，墨子约生于西前五〇〇一四九〇年，死于西前四二五—四一六年。杨朱约生于西前四四〇—三六〇年之间。略先于申不害、商鞅、惠施、尸佼诸子，申不害约在西前三五八至三三三年相韩昭王。商鞅说秦，在西前三六一年，死于西前三三八年。惠施曾相梁惠王，约生于西前三八〇年，死于西前三〇〇年。尸佼，商鞅客，楚人也，生死年月无可考。或与之同时。吾人虽不能确定其年岁，要可信此说为最近真。

《鬼谷子》真伪考

《鬼谷子》三卷，始见于《隋志》，而班《志》不录。新旧《唐书》均以为苏秦撰，乐壹注及王应麟《玉海·汉书艺文志考证》，亦以为苏秦书。乐注见前，王应麟谓："《史记正义》《战国策》云：'乃发书陈箧数十，得太公阴符之谋，伏而诵之，简练以为揣摩。'鬼谷子有阴符之术，有《揣》及《摩》二篇，乃苏秦书明矣。"考刘向《说苑·善说》篇已引《鬼谷子》，其文曰："鬼谷子曰：人之不善而能矫之者难矣。说之不行，言之不从者，其辩之不明也；既明而不行者，持之不固也；既固而不行者，未中其心之所善也。辩之明之，持之固之，又中其人之所善，其言神而珍，白而分，能入于人之心。如此而说不行者，天下未尝闻也。"其《权谋》篇所称述，亦均镕会鬼谷子之言。兹引证之，比较如下。

《鬼谷子》文	《说苑·权谋》篇文
"圣人……必先谋虑计定。"《忤合》篇。 "先王乃用蓍龟以自决也。"《决》篇。	"圣王之举事，必先归之于谋虑，而后才考之蓍龟。"

“圣人以道先知存亡。……”《转圆》篇。 “……必知其吉凶成败之所终。”《转圆》篇。	“知命者，预见存亡祸福之原。” “见事而知得失成败之分，而究其所终极。”
“事之危也，圣人知之，独保其身。”《抵巇》篇。	“居乱世则不害于其身，在太平之世则必得天下之权。”
“天下纷错，……则抵而得之。”《抵巇》篇。 “故小人比人，则左道而用之，至能败家夺国。非贤智，不能守家以义，不能守国以道。”《中经》。	“君子之权谋正，小人之权谋邪。……诚者隆至后世，诈者当身而灭。”

刘向领校中秘时，有诏求天下遗书。成帝三年八月。固曾亲读《鬼谷》全书者，其著录已在《汉书·艺文志》之前。其后向子歆继之，始传《七略》，班固因为《艺文志》。可见《鬼谷子》故存于西汉以前，此其明证一。

又按《淮南子·汜论训》曰：“忤而后合，谓之知权。”又曰：“圣人之言，先忤而后合。”《淮南子》历引此言，凡四五见。“忤合”为《鬼谷》书篇，反忤求合，固纵横家之心传也。又《淮南子》一书，乃综合先秦诸子百家言，多依诸子旧文。其时必曾见《鬼谷》书无疑。考淮南王安于汉武元狩元年反诛，是在汉武之前，鬼谷之书具传于世矣。此其二证。

次,《史记·太史公自序》云:“故曰:圣人不朽,时变自守。虚者,道之常也;因者,君之纲也。”《索隐》曰:“此出《鬼谷子》,迁引之以成其章,故称故曰。”如《索隐》所证引,可为《鬼谷》书存于西汉前之第三证。

次,扬子《法言》曰:“苏秦、张仪学乎鬼谷术。”又曰:“或问:‘蒯通抵韩信,不能下,又狂之。’曰:‘方遭信闭,如其抵!’曰:‘巇可抵乎?’曰:‘贤者司礼,小人司巇,况拊键乎?’”雄与歆同时,其言“贤者司礼,小人司巇”,固儒者排斥异端之言,不足为训。然其时雄固熟诵鬼谷子《抵巇》篇无疑,不然则抵巇之原理不如是之精熟也。此可为歆前《鬼谷子》具在之第四证。

次,《汉书·杜业传》传赞:“业因势而抵陒。”服虔曰:“抵音纸。陒音羲。苏秦书有此法。”颜师古注:“抵,击也;陒,毁也,……亦险也。……鬼谷有《抵巇》篇。”杜业,汉成帝时人,与刘同时,班赞用《鬼谷》书语,而谓其时可无其书,毋乃不合论理。此可为第五证。

然班固述刘氏父子之学,因歆所传《七略》而为《艺文志》,何以独漏《鬼谷子》不载,此必有故。尝考刘向校录遗书,据《汉书·艺文志》叙:“光禄大夫刘向校经传诸子诗赋,……每一书已,向辄条其篇目,撮其指意,录而奏之。”《鬼谷子》书在向时,或虽在中秘,而未经向奏录，故其子歆奏上《七略》时，哀帝建平元年。西元前六年。于父所作，悉入著录，而独遗《鬼谷》者此也。至班固作《艺文志》，全录《七略》。据班氏《艺文志》自注："固于《七略》所录，有出无入，有省无补，而独无删。"故《艺文志》之不录其书，非无故也。又考向子歆好《左氏春秋》《毛诗》《周礼》《古文尚书》，并传孔氏古文之学。《歆传》。歆，妄人也。尝改名秀，以应谶文，以继统受命自居。于古书多窜改，务合己意。其人专欲自是，已非复乃父为学之忠实。《鬼谷子》书之不见录，或在其时已误指为苏子之作，删并于苏子书；否则为歆所斥为异端而排抑之。二者苟有一于是，则《鬼谷》书之湮而不彰，理自可见矣。然则《鬼谷》书固向所目睹而未经奏录之书也。讵能以歆、固所未收，遂指以为伪作，不亦谬乎？吾尝谓《鬼谷子》一书，不特传于汉世，亦具存于晋、齐、梁之世，而后传于隋，始见著录。请举其说。

一、郭璞《登楼赋》曰："揖首阳之二老，招鬼谷之隐士。"又《游仙诗》曰："青溪千余仞，中有一道士。借问此何谁，云是鬼谷子。"璞，晋初时人也。又考宋道藏本《持枢》篇陶注，陶宏景注，或谓为尹知章注。尝一称"元亮曰"。元亮，晋陶渊明也。宏景称其先世，故略其姓而称其字，由此可证此书具传于晋世，未尝中断也。

二、梁代庾仲容《子略》，今在《意林》。见马总《意林·篇目序》。据《意林》录马钧字德衡，齐明帝时人。《物理论》口铭全文，均出《鬼谷子·捭阖》篇。盖因鬼谷子之言，以镕制成铭者，兹举其例证，比较于次。《物理论》又言："指南车，见《鬼谷子》。"今宋本《谋》篇有："郑人之取玉也，载司南之车。"语可证南齐时，此书亦流传民间。

《鬼谷子》文	《物理论》口铭文
"观阴阳之开阖，知存亡之门户。……""口者，心之门户也；心者，神之主也。……"	"存亡之机，开阖之术。口与心谋，安危之源。"
"故言长生安乐富贵尊荣，……为阳，曰始。故言死亡忧患贫贱苦辱，……为阴，曰终。"	"枢机之发，荣辱随焉。"

三、梁代刘勰《文心雕龙》言："转丸骋其巧辞，飞箝伏其精术。"转丸、飞箝皆《鬼谷》篇名，此岂不见原文可以云尔乎。又庾钞《子略》有《鬼谷子》，今《意林》悉依其篇目，亦录有《鬼谷子》。又陶宏景注《鬼谷子》，陶亦梁武时人，海宁周广业以为陶注笔法，绝似《管子》注，断为尹知章注，其言容有一部份可信。然其注称"元亮曰"，书其字略其姓，则此书一部必出陶注，亦无可疑之事实也。然则梁世此书具传，

固信而有征矣。

由此观之，此书历代流传，未尝中绝，不得谓为晚出，亦不得谓为伪托。何以言之，此书之组织，条理系统，原理方法皆秩然有序，先秦诸子罕有其比；其词义古茂，韵依古声，断非后世所能依托者。汪中《经义新知录》断为非后人伪撰，所见至卓。清儒仪征阮元谓："《鬼谷子》中多韵语，其《抵巇》篇，巇者，罅也，读巇如呼，合古声训字之义，非后人所能依托。其篇名有'飞箝'，按《周礼·春官·典同》，微声韽，后郑读为飞钻涅韽之韽，箝、钻同字，贾疏即引《鬼谷子》证之。"阮言是也，后世第以班《志》不录而疑之，苟一博考，必有以明其不然也。

余尝疑此书大体为苏秦纂述师说之作，在西汉之末世，已误乱为苏子书。计《鬼谷子》凡二十三篇，合苏子说秦连横、说燕赵魏楚韩齐合纵共七篇，又说齐秦各一篇，凡九篇，余均考定苏子游说之词，均为苏秦书，说详于后。合为三十二篇，适与《汉志·苏子》篇数相符。疑班《志》不录《鬼谷》，必在刘歆手时已误合为苏子书矣。刘向博览天下遗书，明明录引《鬼谷子》之言，何缘而中绝，谓非歆误合之而何。总之，《鬼谷子》为苏秦纂述师说之书，间有窜入己作之处，如《揣》《摩》两篇及《阴符》说解等是。至其游说之辞，则苏子之成文藁草也。一述一作，人同事异，故易混淆。兹请举其说。

一、按《战国策》言："秦乃夜发书，陈箧数十，得《太公阴符》之谋。伏而诵之，简练以为揣摩，……期年揣摩成。"高诱注云，"简，汰也；练，濯也。濯治《阴符》中奇异之谋，以为揣摩。"然则揣摩成者，当是苏子所著《揣》《摩》等篇篇成之谓。按《揣》篇中于量权一节，极详明。较之《鬼谷》原书《飞箝》《忤合》诸篇所言，文增意复，若是《鬼谷》传述之文，必无若是之重赘，可征其为苏子之作无疑。余故疑《鬼谷》书中《揣》《摩》篇断为秦自作，以补师说所未及者。否则不必言"简练"，不必言"成"，理至明了也。苏子失意于秦，其归而发愤研究，著书述学，断在此"期年"之内。日人武义内雄《老子原始》，疑此书为《汉志》所录《苏子》三十二篇之节略本，以《秦策》及《史记》为证，其言近是。武进顾实《重考古今伪书考》，亦以《汉志》"苏子"为总名，《鬼谷子》十四篇即在三十二篇之中，其意见与余完全相同。至《战国策》称"太公阴符"，疑其文即在《鬼谷》书《本经》之中。细诵《本经阴符七篇》之前文，文特古奥，断非战国时文字，其后析论解说，殆皆为苏子说解之词，溯文寻义，理甚显明。又《符言》一篇，与《管子·九守》篇及《邓析子》中文多相同。余疑此文，故为《太公阴符》之文，齐《史记》固有之，后人编《管子》，遂录之，而《邓析子》书亦多录取。所谓符言者，明言为阴符之言，必系苏子手录之书。考其文奇古，多依古韵，必为周书口诵之文无疑。

二、马总《意林》录《鬼谷子》序曰："周时有豪士，隐居鬼谷，自号鬼谷先生，无乡族里姓名字。"乐壹注云："此苏秦作书记之也。……"乐氏明言苏秦作书记之，可征其为纂述师说无疑，高似孙《子略》亦称："苏秦所记以为周时有豪士，……"同前文。云云，明为秦记，可知秦之学受于鬼谷先生，其说确无可疑。亦均详见前文所征引。而乐氏遽以私意释之曰："鬼之言远，犹司马相如假无是公云尔。"又曰："秦欲神秘其道，故假名鬼谷。"其说既无所本，亦反其前说。司马相如假无是公，乃汉世事例，岂足以概战国。在春秋、战国之世，托古改制，盛极一时。庄子所称："重言十七。"重言者，借重古人以立言之谓也。韩非所谓："孔子、墨子俱道尧舜，而取舍不同，皆自谓真尧舜。尧舜不复生，将谁使定儒、墨之诚乎。"《显学》篇。皆可见当时托古改制之风，极为普遍。《战国策称》："秦得《太公阴符》之谋，……期年揣摩成。……"然则秦果假托，盍不托之太公，而谓乃以子虚乌有以著其说乎，必不然矣。又其时士以学不称师为羞，按荀子《修身》篇："非师是无师也。"《吕氏春秋》："君子之学也，说义必称师以论道。……说义不称师，命之曰叛。……背叛之人，贤主弗内之于朝，君子不与之交友。”可证尊重师说，为当时风尚。秦、仪之学于鬼谷，古今无异辞，此自事实，秦等固不能讳其师说甚明。

三、史迁列传谓：“苏秦被反间以死，天下共笑之，讳学其术。”又曰：“苏秦之弟曰代，代弟厉，见兄显，亦皆学。”《苏秦列传》文。余谓代、厉所学，学于其兄秦也。由此可证秦固有学传于世，其谓为世所讳者，讳其阴谋而已，非谓讳其师学也。大抵治纵横之学者，尚阴谋，擅形势，飞箝忤合，反覆纵横，主于周密，制于未形，其所学固不欲人知之，其所行尤不乐人道之，非特人以为讳，抑其学者且自讳之矣。而况秦以反间死于其术，其学之见讳于世，不亦宜乎。尤非谓其兄弟相传之师学，亦以为讳也。仪、秦受鬼谷之学，具见前文。而况事实上固有箕裘相袭之史实，足资取证乎。见《苏秦列传》末述代、厉游说事迹，及《国策》代、厉游说各国之词，不一而足。余尝谓《鬼谷子》书，为秦纂述其师说之作。章实斋学诚曰：“三代盛时，各守人官物曲之世氏，是以相传以口耳。而孔孟以前，未尝传其书；至战国，而守师传之道此言口耳之传也。废。通其学者，述旧闻而著之竹帛焉。”章氏之言是也。鬼谷之学传于苏子，苏子撰述其义，以著之竹帛，传之两弟，盖无可疑之事实也。是故其文较简奥古朴，篇多韵语，盖当时口耳传诵之文也。其为秦纂述师说何疑。

按江都秦恩复序谓:“《汉书》别有《苏子》三十二篇,其文与《鬼谷》不类。”秦说所谓不类者,盖据《太平御览》所引《苏子》而言。考《御览》所引,见《意林》者实为苏淳所作,非苏秦也,秦说亦误。

又按《太平御览》引《苏子》曰:“天子坐九重之内,树塞其门,旒以翳明,衡以隐听,鸾以抑驰。”《后汉·王符传》注引苏子曰:“人生一世,若朝露之宅于桐叶耳,其与几何。”又《御览》引《苏子》曰:“兰以芳自烧,膏以肥自焫,翠以羽殃身,蚌以珠致破。”此言见马总《意林》所引《苏子》十八卷,名淳,卫人也。《御览》所引文字相同,当是苏淳之作。《鬼谷子篇目考》误为苏秦,盖未深考耳。

四、苏子游说之辞,皆其成文藁草,而《史》《策》录之者也。《汉志·苏子》三十二篇者,除误合《鬼谷》之二十三篇外,皆苏子游说之词也。何以明之?苏子师事鬼谷先生,鬼谷子《揣》篇言:“揣情饰言,成文章而后论之。”此明教人以说人之法,须先成文章而后论之也。姑无论《鬼谷子》是否苏秦撰,如其是也,秦不能自畔其说。不然,秦既纂录师说,以教两弟,秦亦不能倍其师说也,明甚。吾故谓苏子说辞之著于《国策》旧文者,皆苏子成文藁草也。详考《国策》苏子说辩凡十余章，据《史记》言："世言苏秦多异，异时事有类之者，皆附之苏秦。"疑其文可信为苏子书只九篇说秦连横、说燕赵魏楚韩齐合从各一篇，又说齐秦各一篇，共九篇。而已。其他或代、厉之词，而附之秦；或为《史》《策》记事之词；或疑而附之，如史迁所云。要之，秦书故具存于世，世第未之深考而已。《隋志·张子》十篇，按仪说各国之词数略相符，余另有考定，兹不详及。

由是观之，此书纂述于秦，以传于代、厉，代、厉末流遂以传于世。故或以为苏秦撰，其实非也。述作之间，固有异也。迨至西汉之末世，始误合于苏子书。江都秦恩复序有言："汉书纵横家别有《苏子》三十二篇，……使苏秦托名鬼谷，班固何以略而不注。"则知固之前，两书已误合为一必矣。

上文所述，于《鬼谷》书之真伪，考证既明。于此复有一义，为研究战国诸子学说所当详审者，则战国诸子书之体裁是也。大抵古代著述之体裁，以"子"冠其一家一派之学，殆始于战国。章实斋学诚曰："……诸子思以其学易天下，固将以其所谓道者，争天下之莫可加，而语言文字未尝私其所出也。……辑其言行，不必尽其身所论述者。管仲之述其身死后事，韩非之载其李斯驳议是也。庄子《让王》《渔父》之篇，苏氏谓之伪托，非伪托也，为庄氏之学者所附益耳。《晏氏春秋》，柳氏以为墨者之言，非以晏子为墨，好墨学者述晏子以名其书，犹《孟子》之《告子》《万章》名其篇也。……诸子之奋起，由于道术既裂，而各以聪明才力之所偏，每有得于大道之一端，而遂欲以之易天下，其持之有故，而言之成理者，故推衍其学术而传之其徒焉。苟足显其术而立其宗，而援述于前，与附衍于后者，未尝分居立言之功也。"《文史通义·言公上》。章氏之言是也。古人之历史观念，与著作者之观念，非不判明。不过为学者各以援述附衍，以为其师说之补充，冀以彰其师学，以"显其术而立其宗"，而完成其学派独立之工作。无论其为自由附加，或伪作之随时窜入，要之此种状态，固为战国学派之事实也。故现在所有多数题为战国以前某某子之书，实系某某子一派之书，不当视为某某子一人之书。例如《墨子》《庄子》，要当视为墨学或庄学丛书。参阅冯友兰著《中国哲学史》四二。盖所谓某某子者，代表其一家一派之思想系统，成之非一人，述之非一世也。《鬼谷子书》亦然。其书为代表战国时政略学家之思想或谓纵横家，其实非也。之书。据吾考定为苏秦述其师学之作。其中有为鬼谷传诵于弟子之言，书中凡古韵之文均是也；有为苏秦自撰之篇，如《揣》《摩》及《阴符》说解是也；有为苏子纂集吕尚、《周书》之言，如《符言》之录自《齐太公阴符》

是也；其他如《抵巇》篇中，亦有战国晚年纵横家窜入之词，如“五帝之政，抵而塞之；三王之事，抵而得之”等句，系解释上文之注脚，疑系传写之误，否则为战国末世时注文，误窜为正文无疑。其他后人注释之文，误为正文者，亦非绝无。其详著于本篇，兹不赘。由今观之，吾人研究其学，虽或能考定其作者及时世，要亦不能忽略其书之体裁，此则读者所当详察者也。

时代地域与学说发生之关系

鬼谷先生生于战国初期，其学说之成熟殆在初、中二期之间。此其时代，七国并立，“海内争于战功”，《史记》文贵族阶级渐已凌夷，地方文化充分发展，平民阶级中智识份子渐多，列国竞争极烈，人才辈起，处士声价日增，书籍之传播甚广，学术进步极速。其时大都会发生，各国交通渐趋便利，各地方远道游学、交换智识之风极炽，凡此种种环境，均为其时伟大思想家产生之远因。孟子所谓“圣王不作，诸侯放恣，处士横议”，即其时代之情形也。据司马迁《六国表序》言：“三国……分晋，田和亦灭齐而有之，六国之盛，自此始。务在强兵并敌，谋诈用而纵横短长之说起。矫称蠭出，誓盟不信，虽置质剖符，犹不能约束也。”其论纵横家之起源与时代背景之关系，与《淮南子·要略》略同。《淮南子·要略》云：“晚世之时，六国诸侯，谿异谷别，水绝山隔。各自治其境内，守其分地，握其权柄，擅其政令。下无方伯，上无天子，力征争权，胜者为右。恃与国，约重致质，剖信符，结远援，以守其国家，持其社稷。故纵横修短生焉。”史迁、淮南其观点均注重时代的关系，故其判断极准确。及刘歆《七略》暨班固《汉书·艺文志》始立诸子出于王官之论。《班志》曰：“纵横者流，盖出于行人之官。孔子曰：‘诵《诗》三百，使于四方，不能专对。虽多，亦奚以为？’又曰：‘使乎，使乎！’言当权事制宜，受命而不受辞，此其所长也。及邪人为之，则上诈谖而弃其信。”其后唐长孙无忌撰《隋书·经籍志》亦云：“纵横者，所以明辩说，善词令，以通上下之意者也。《汉书》以为本出行人之官，受命出强，临事而制，故曰：‘诵《诗》三百，使于四方，不能专对。虽多，亦奚以为？’《周官·掌交》：‘以节与币，巡邦国之诸侯及万姓之聚，道王之德意志虑，使辟行之，而和诸侯之好，达万民之说；谕以九税之利，九仪之亲，九牧之维，九禁之难，九戎之威。’是也。佞人为之，则便辞利口，倾危变诈，至于贼害忠信，覆乱邦家。”刘、班、长孙之说，其言均相袭，实乃毫无根据之论。

大抵往古政家每一学派之建设，必各有其极复杂之原因：

（1）政治大势之转变与要求；（2）历代学说之遗传及素养；（3）时代思潮之刺激；（4）社会环境之变异；（5）研究真理之风盛行，学者为真理而求创造。凡斯五者，均为新学派创造之直接的原因。苟谓其独出一流，所见未免过隘，吾故谓司马、淮南之说是也。

次论地域与学术发生之关系。鬼谷先生者，楚人也，考《论语》所记“隐者”之流，依史迁之言，以为“多为孔子在楚时所遇”。楚人为新兴民族，不受周时中原文化之拘束，故其人多有新思想。鬼谷先生者，亦隐者也，其人早岁殆多忧患，晚年始成其学，故以隐逸终世。今观其学说，与地域上之关系盖甚显明。

（一）《易》学者，楚人之学也。《易》由商瞿传之楚馯臂子弘。其学先鬼谷，鬼谷之思想多本于此。

（二）据《史记·老聃列传》：“老子者，楚苦县厉乡曲仁里人也。”虽后世或以为疑。（1）《水经注》二十三引后汉王阜《老子圣母碑》谓其生于曲涡间；（2）《隶释》三载后汉边韶《老子铭》言为楚相县人；（3）《庄子·天运》篇晋司马彪《释文》言为陈国相人。其言虽不同，其地皆同。清儒姚鼐据《庄子》记事疑为沛人；汪中《考异》亦以《史记》所记为老莱子生地，误传为老子生地，两说互异。要之，道家盛于宋、楚则为事实也。考《孟荀列传》：“慎到，赵人。田骈、接子，齐人。环渊，楚人。皆学黄老道德之术，因发明序其指意。故慎到著十二论，环渊著上下二篇，田骈、接子皆有论焉。”班固、高诱注“慎到先申韩，申韩称之”，据顾实考其年世，自周安王元年至周显王四十七年，约当公元前四〇一——前三二二年间，慎到、环渊同时，殆与鬼谷并世。环渊者，楚人，传老氏之学。姑无论老书之编纂于何时，要之老子学说从口诵而传之遗教，固已在鬼谷子之前，故鬼谷之学处处发现老聃学说思想之遗迹，此其地域上之关系然也。

（三）齐威、宣之际，厚聘招士，天下之士多集于临淄。故稷下学风之盛，冠于一时。其时齐国文化崇拜太公、管晏，重权谋、尚功利。据《史记·苏秦列传》，鬼谷游齐疑即在齐威王时，故其思想上感受齐学之处极多，至于苏秦则更不待言。

又据《汉书·儒林传》："子张居陈澹台，子羽居楚，子夏居西河，子贡终于齐"，孔门辞命之学由子贡而传于齐，此为任何不能反对之事实。鬼谷辞命之学其得之于齐，殆属可信。

由此以论鬼谷子学，其受齐、楚两地地方之影响固弥巨也。

《鬼谷子》的哲学原理

鬼谷先生政略的哲学约可判为三部：

（一）说辞学。说辞学者，论究政治上言语的运用之原理方法之学问也。其学始于孔门言语之科，具于墨者之谈辩学，及鬼谷先生始完成其组织，贯通其条理，分别其统系，明定其内容，卓然成为一独立的科学。其书论理精密，界说谨严，完全以经验主义为基础，虽与近代之心理的科学相况，亦毫无逊色。盖鬼谷先生固集孔、墨之大成者，故能缉熙光明，其成就如此其伟也。

（二）权谋学。权谋学者，论究政治上运用政略的手腕之基本的学问也。其学滥觞于吕尚《周书》，著于《周志》《军志》，阐于老聃、《周易》，其在历史上得失成败之故详于各国春秋、史册、典志，而成于鬼谷先生。鬼谷之书盖与《孙子》十三篇之兵略学同为政略学上之一部，其精神、组织、方法均略相仿，其在我国学术史之地位亦与《孙子》相同。此种奇伟之创说盖千古一人而已。

以上说、权二学之名称、性质均厘然不同，要其为政略上的手腕之学问则一，而鬼谷先生则自有其独到之卓见，贯通二部之学说，而组织完成其政略的哲学之全部。故其学说之组织常以权谋为经，而说辞为纬；以权谋为体，而说辞为用，故在其学说中间二者常有不可分之关系。兹所以分别言之者，以其学说上之源流各有所本，其应用上之范围亦有广狭之殊，不能不分析研究以取其便耳。

（三）哲学思想及方法论。鬼谷先生之政略的哲学，其全部之组织常将其哲学思想及方法论贯通全体，而普遍应用之于说、权二学之上，此其关系为相互的，可以左图表之：

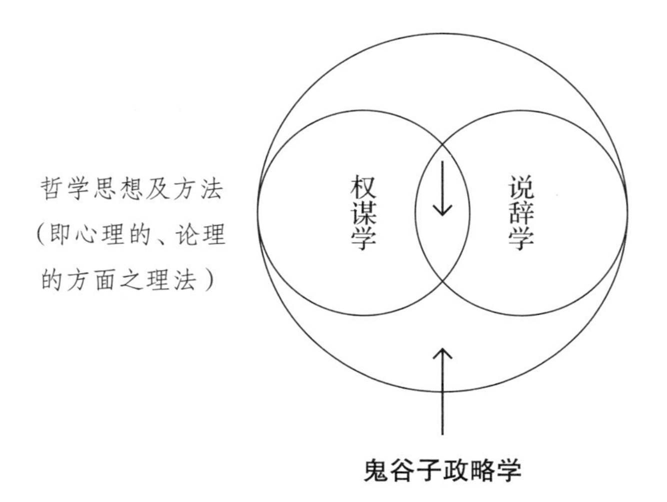

由是以观，《鬼谷子》学说上之心理的、论理的基础，关系极为重要。苟不能先就此基本的论理加以研究，自不能寻索鬼谷先生之政略的哲学思想之出发点何在。换言之，即不能理解其说、权二学组织上共同之基点何在，吾故以为，此项研究实为理解《鬼谷子》他部学术之根本工作。兹特分节论述之如次：

宇宙观与人生观之合一

《鬼谷子》之哲学思想见于《本经》，其言曰：

"道者，天地之始，一其纪也。物之所造，天之所生，包宏无形。化气先天地而成，莫见其形，莫知其名，是谓神明。"按"神明"之"明"字原本作"灵"，查全书他无"神灵"之句，接下文即书"道者，神明之源"，足证为"明"字之误，兹考正。

"道者，神明之源，一其化端。……生受之天者，谓之真人。真人者，与天为一。"

"知者内修练而知之，谓之圣人。圣人者，以类知之。"

由此以观，《鬼谷子》之宇宙论与人生论结合为一，其宇宙观上所建立之一元论以“道”为万物之理的总原理，其在形而上学解释直可以谓之“神明”。然《鬼谷子》之所谓“神明”，乃赋有精神上之意义，绝无丝毫宗教的臭味，盖其出发点虽由宇宙之普遍的观察立言，而其瞬间即归落人生的境域，而与其理想之人生观——理想之人格——切合无间。换言之，《鬼谷子》之理想之“神明”，实为全智全能之理想的人格之变名。《鬼谷子》悬此目标为其人生哲学上极量的准绳，遂赋以专名，目为“真人”。而其所谓“道”者，乃亦因是而赋以人生的意义，而为一切修为所以达此理想的人格之涂径、方法、学问；于是其所以修为之“道”，鬼谷子乃名之曰“类”。“类”者，人为之“道”也，然《鬼谷子》于“类”之极量充分发展之后，乃赋以知识论之意义，而名之曰“道知”，详见下节于是而与宇宙自然之道完全切合，而达到鬼谷之理想的境域。至于修为而达到之理想的人格，其与自然之“真人”有别，则亦名之曰“圣人”。“圣人”之“类”与“真人”之“道”，一出于人为，一本于自然，名制有异，要其为鬼谷理想上最高之人格则同。

然《鬼谷子》此种宇宙观非无所本者，老聃有云：

“有物混成，先天地生。寂兮寥兮，独立而不改，周行而不殆，可以为天下母。吾不知其名，字之曰道，强为名之曰大。”今本《老子》第廿五章老聃此言为其原始之一部份，亦可谓之最古之一部份。韩非解之云：

> “道者，万物之所然也，万理之所稽也。理者，成物之文也；道者，万物之所以成也。故曰道者，理之也……万物各异理，而道尽稽万物之理，故不得不化。”《韩非子·解老》篇

持此说与鬼谷相印证，则《鬼谷子》之哲学思想直可谓之绍述老聃之学者。韩非之解谓物各有理，而万物之理源于一个总原理，是以谓之曰“道”，与鬼谷所谓“一其纪也”之说相合。纪者，纲纪也，万物之纪一之以“道”，故曰“一其纪也”。韩非又谓“道尽稽万物之理，故不得不化”，此与《鬼谷子》“一其化端”之说相合：“一”者，道也，“化”万物之理也。鬼谷子尝言：

> “人与生，一出与物化。”《本经》

所谓“出与物化”者，化于万物之理也，此可互证。由此观之，《鬼谷子》之宇宙观可谓完全为老学之支流。然其直将宇宙观与人生观打成一片，毅然将其宇宙观之哲理完全应用于人生观之上，为人生努力而别辟一崭新之涂

径，此种理论绝非老聃崇尚自然之学风所可有者，而在楚人崇天敬鬼之学中有此见解，其精神真不可企及也。

《鬼谷子》之心理的哲学

《鬼谷子》之智识论，由其哲学思想之全部观之，直可谓之知识万能论；然其论知识常侧重效率及功用，故其以知识论证成其人生论之部分，又可谓之为“处世的知识论”，或“政治的知识论”。要之，鬼谷之学以知识为人生达到其政治上一切需求之必要的手腕，论其目的，毋宁谓为“机能的知识论”之较为适切。故其言曰：

> “知存亡之门户，筹策万类之终始，达人心之理，见变化之朕焉。”《捭阖》篇

此即以吾人心理的经验为基础，视心的活动为一能保持与发展生命之工具，而极阐“知”之功用，殆为全部鬼谷思想之总钥，此与美国近代心理学家詹姆士主张之机能的心理学之思想，谓“吾人之心为悠久的适应外物之工具”之说，见崔译《近世六大家心理学・詹姆士的心理学》一〇四页实有若干相同之点。

故《鬼谷子》又曰：

> “智用于众人之所不能知，而能用于众人之所不能见。”《谋》篇
>
> “谋虑情欲，必出于此。乃可贵，乃可贱；乃可重，乃可轻；乃可利，乃可害；乃可成，乃可败，其数一也。”《揣篇》
>
> “乃可以进，乃可以退，乃可以纵，乃可以横。”《忤合》篇
>
> “此用，可出可入，可揵可开。”《内揵》篇
>
> “用其意，欲入则入，欲出则出、欲亲则亲，欲疏则疏、欲就则就，欲去则去、欲求则求，欲思则思。”《内揵》篇
>
> “可箝而纵，可箝而横、可引而东，可引而西、可引而南，可引而北、可引而反，可引而覆。虽覆能复，不失其度。”《飞箝》篇

此则极论知识之机能、之结果，遂一进而为纯粹之智识万能论矣。由此以言，鬼谷之智识论完全在实用方面立论，虽谓为实用的知识论，亦无不可。

然依性质上之判别，鬼谷之智的哲学与笛卡儿主张之“我思即我在”之直觉论相同。《反应》篇曰：

“知之始己，自知而后知人也。其相知也，若比目之鱼；其见形也，若光之与影也。”

此则明言由于我之自觉而后“始”有“知”，而后“知人”，而后互“相知”，此为纯粹之实在论，其在西洋哲学中实为最重要之部份。近代心理学者弥尔有言“吾人第一次有之感觉，即在吾人心中挑起自我之意义”，见崔译《近代六大家心理学》一四页即其义也。此在黑格尔之哲学系统上亦即以“思即有”之实在论为其立论之根据。此种绝对体之学发展其绝对理性，即为论理学、自然科学、精神哲学，此其理论的出发点，与《鬼谷子》丝毫无异。由我之自觉而后中分我之世界为二：曰“己”，曰“人”，即我与非我也。我为主观，非我为客观，其界限至为显明。鬼谷所谓“己自知”者，即笛氏之言“我思故我在”也，知即思也，己即有也，故曰“知之始也”。由是“而后知人”，更由此“知”即墨氏所谓“思”以“知”其客观的世界中我之对象之“人”，即非我也。其在思考上之立场可谓与笛卡儿、弥尔、黑格尔诸氏完全一致。至“己”何以能“知人”，“人”何以能“相知”，此为知识论上极大之问题，即思考推理的方法是也。《鬼谷子有言曰：

“圣人者，以类知之。”《本经》

“类”者，《鬼谷子》所立以为思考之法则也，不知其“类”则无以行其推论，故鬼谷又言曰：

“虽非其事，见微知类。”《反应》篇

“见微知类”者，鬼谷所谓“先定其法则”也，《反应》篇此在近代论理学上则为类推作用，而在《鬼谷子》则名之曰“审定”，其言曰：

“审定有无，以见其实虚。”《捭阖》篇。按今本文中无“见”字，据下文文法增。

此种“审定”为知类之必经的过程，换言之，即施行推论之前必经考察之阶段，此阶段鬼谷乃名之曰“审定”，而“类”则为类推之结果也。由是观之，《鬼谷子》于“类”之“审定”之前，盖已承认人类思考共同之原则。所谓同一律、反对律与因果律三者，均为其立论当然之前提：唯其承认同一律与反对律，故能行其“审定”；唯其承认因果律，故能“见微知类”。同、反二种定律在《鬼谷子》学上赋以专名，详见下章，兹不具。然人何以能知“类”

乎？则前文所引“达人心之理”者，即以心理学为其基础也。在心理上，知识之来源根于感觉与知觉，而《鬼谷子》之言则曰：

“知类在窍，有所疑惑，通于心术。”《本经》

按鬼谷书中有云“九窍、十二舍者，气之门户，心之总摄也。”陶注云：“十二舍者，谓目见色，耳闻声，鼻臭香，口知味，身觉触，意思事，根境互相停舍，故曰十二舍也。”“九窍”、“十二舍”之语不类战国时人语，疑《鬼谷子》此节为晋人注释之文，陶误为正文而更疏释之，误也。

此言知识之来源，由于九窍之感觉与知觉的关系，完全与近代心理家相同。

次《鬼谷子》之进论心理现象，亦极尽精微，其言曰：

“口者，心之门户也；心者，神之主也。志意、喜欲、思虑、智谋，此皆由门户出入。”《捭阖》篇

“盛神，……中有五气，神为之长。心为之舍，德为之大。”《本经》经文

“志也，思也，神也，德也，神其一长也。”《本经》经说

《鬼谷子》以“神”为全体心理的整个之现象，而以志意、喜欲、思虑、智谋及德为其心理之个别的现象。“思虑、智谋”，略当近代心理学上之智的部分；“喜欲”，当情的部分；“志意”及“德”，当意的部份。在心理学上之结构可谓十分完密，绝非同时各家所能望其项背。至其所谓“五气”之气，犹今人之言神经中枢也，故其言曰“五气得养，务在舍神也”。又言“静和者，养气。养气得其和，四者不衰”。《本经》。四者谓志也，思也，神也，德也。见此文之上段。此所谓养气得其和，则摄养适宜、神经健全之谓，故“志”、“思”、“神”、“德”四者均不衰也。以此为证，陶注之解释自有未备，然则此足见《鬼谷子》研理之精凿，比之近代心理学家可谓毫无逊色。

次《鬼谷子》论述心理上之修为的方法，则完全以达其思考为目的者也。其方法有二：

（一）养志法。《鬼谷子》之言曰：

> “养志者，心气之思不达也。”《本经》经文

“有所欲志，存而思之。志者，欲之使也。欲多，则心散；心散，则志衰；志衰，则思不达也。故心气一，则欲不偟；欲不偟，则志意不衰；志意不衰，则思理达矣。

理达，则和通；和通，则乱气不烦于胸中。故内以养志，外以知人。”《本经》经说。按内以养“志”之“志”字，原文作“气”，系因上文而误，谨为改正。

鬼谷所言之“志”，其意义为心之所之也。心之所之而未达其理，于是乎须“养”。“养”者，修为之谓也，修为之法则名之曰“思”，即近代心理学上之内省法也。然思维之术，必先立一目标，即鬼谷所谓“志”是也。志之始由于“欲之使”之说，此则为意志自由论。盖“欲”之意念乃由选择去取以得之者也，人对“欲”之选择宜择其“一”，不宜于“多”，故《鬼谷子》曰：

“心能得一，乃有其术。”《本经》经说

其所谓“欲多则心散”、“心气一则欲不偟”，皆其义也。由是以达其“思理”，以完成其思考之作用，故曰“内以养志，外以知人”，养志者，亦“己自知”之一义也。此《鬼谷子》哲学方法之第一阶段也。

（二）实意法。《鬼谷子》论修为之方法，视养志法更进一步而较为复杂者，曰“实意”。其言曰：

“实意者，气之虑也。”《本经》经文

“心欲安静，虑欲深远。心安静，则神明荣；虑深远，则计谋成……精神魂魄，固守不动，乃能外视反听，定智虑，之太虚，待神往来。以观天地开辟，知万物所造化，见阴阳之终始，原人事之政理……不出户而知天下，不窥牖而见天道，不见而命，不行而至，是谓道知。以通神明，应于无方，而神宿矣。”《本经》经说

由“思”而进于“虑”，即由简单的思维而进于繁复的审虑，则须经过若干复杂的比较及详审的研究，而后可。《鬼谷》有言曰：

> “皆见其权衡轻重，乃为之度数，圣人因而为之虑。其不中权衡度数，圣人因而自为之虑。”《捭阖》篇

所谓“权衡”，所谓“轻重”，即复杂的比较也。所谓“度数”，即详审的研究也。此非有冷“静”之头脑、“深远”之眼光不为功，故曰“心欲安静，虑欲深远”也。鬼谷于是遂转而及政治方面，名其“虑”之结晶品曰“计”，而“计谋”之成，尚有其他的补助方法。其言曰：

> “计谋者，存亡之枢机。意虑不会，则听不审矣；候之不得，则计谋失矣。”按“意虑不会”之“意”字，据下文增。

“故信心术，守真一而不化，待人意虑之交会，听之候之也。”《本经》经说

《鬼谷子》此言“意虑交会”，完全为一种复杂的覆校的研究法；其曰“听之候之”，则为一种耳目之征验方法。耳以广“听”，目以测“候”，唯恐其“虑”之不周，谋之疏漏，故博求之于耳目之外，覆校之于“意虑”之会，其慎重如此。此与今日科学家研究科学之精神绝无异趣，《鬼谷子》尝言曰：

“以天下之目视者，则无不见；以天下之耳听者，则无不闻；以天下之心虑者，则无不知。”《符言》篇

此之谓也。凡此种种方法，鬼谷总名之曰“实意”。“实意”之法始于“心术”，指“思”、“虑”、“权衡”、“度数”、“听候”等一般而言。终于“道知”。所谓“道知”者，修为之结果充分发展，至于其最高之焦点，则于万物之原理均无所不知、无所不窥，遂返而与鬼谷原来之宇宙观之所谓“道”者相合，故曰“道知”。因“道知”之修了，遂“以通神明，应于无方，而神宿矣”，如是遂与其理想上全知全能之人格——即所谓“圣人”——完全吻合。《鬼谷子》所谓“圣人者，同天而合道。”《本

经》经说。按今本原文作"真人",疑误,因为校正。即此义也。于是《鬼谷子》所谓圣人之学始毕,此其心理的哲学方法之最后的阶段也。

《鬼谷子》之经验的哲学

前章所论《鬼谷子》之智识论,常发现甚深的经验主义的色彩。鬼谷先生者,殆一纯粹的经验主义者也。其言有曰:

"名当则生于实,实生于理,理生于名实之德。"《符言》篇

此言可以代表《鬼谷子》经验主义之基本思想,殆以宇宙间种种事理之发生,完全建筑于名实相当之经验主义之上。盖依《鬼谷子》全部学问观察,《鬼谷子》之学盖构成一智力万能论之雏形,见前章所论应用人类的精神与智力以解决社会政治上种种难题。譬之如奈端之发见万有引力,遂为今日一切物理学上一基本原则,《鬼谷子》之发见人类万能的智力,以为精神的、政治的、学术上立一基本原则,其事例绝相类似。此种万能的智力之原则之树立,乃在于吾人精神生命之绵延、积蓄,过

去尽临于现在，由过去、现在联结，以应付未来。此种精神的活动无时而或止，随社会或政治的“动变”《本经》谓“动变见形，无能间者”。而与之“转化”。《忤合》篇：“因知所多所少，以此先知之，与之转化。”在此种智力万能论中，吾人殊感觉机械主义或定命主义之更无存在之余地。惟依今日最新之柏格森创造的进化论比较观之，亦觉柏氏“生之冲动”之说惟凭创造，而其所以能创造与进化者，乃藉一种内心之推力，其所谓的心之推力，是即“生之冲动”。此其见解与《鬼谷子》之主张惟凭精神上刻刻利用已往之经验，以应付现在与未来之转化的哲学论，苟在纯理上观点判断，直可谓互相切合、毫无间隙可言。人生运用智之能力，当然自有其一定之法则，不特物质科学为然，即精神科学亦然。然在人生日用、社会政治之实际上，何日何时而不当然？顾此项法则之根据，必不能纯本理想而不切经验可知。况社会政治之事变，在列国竞相雄长、小邦自保不遑之际，其急切之需要，当然须根据于国际政治上之实际的事例，以树立其应用之法则，而后始能“切事情”、韩非《说难》“中肯綮”，《庄子·养生主》否则既不接触事实，纯凭个人之见，岂能尽当于事理？由此言之，虽谓鬼谷先生为极端之经验主义者，亦无不可。《鬼谷子》有言曰：

“度之往事，验之来事，参之平素，可则决之。”《决》篇

“成义者，明之也；明之者，符验也。”《权》篇

“远而可知者，反往以验来也。”《抵巇》篇

“己欲平静，以听其辞，察其事，论万物，别雄雌。”《反应》篇

“反以观往，覆以验来。”《反应》篇

“赏赐贵信，必验耳目之所见闻。”《符言》篇

“故言多类，事多变。……故智贵不妄。”《权》篇

“善以他人之庶引验，以结往明疑。”《中经》

凡此皆其主张经验的方法之明证也。然鬼谷先生之经验主义，其应用之方法尝为之树立明确之原则，就全书寻绎，可得数种，如次：

（一）“同异”的“法则”。由前章所发见，“类”知的法则，鬼谷之心理的推验之原则也。其基础完全在经验世界之上，而本之经验世界之原理，以行其内在之推断。然何以能确知为“类”与否，则此种支配思考之法则，不仅在于内心而已，尤在与经验世界上之事实符合与否以为断。在近世之论理学上名之曰同一律与反对律，而鬼谷先生则名之曰“同异”的“法则”。此均《鬼谷子》之名词也，见《反应》篇。其言曰：

“可与不可，审明其计谋，以原其同异。”《捭阖》篇

“同声相呼，实理同归。……此听真伪，知同异，得其情诈也。”《反应》篇

“立势制事，必先察同异之党。……其说辞也，乍同乍异。”《飞箝》篇

“此所以察同异之分，其类一也。”《权》篇

吾尝言《鬼谷子》哲学的方法建筑于二元论之上，同异论者，亦其二元论方法之一也。唯其能根据经验世界之事实以见其“同”，同时在他方面自然发见其反对或不一致之事实，而亦见其“异”。于是此种心的经验积之既多，更本之宇宙上自然之因果之经验，所有一切推断均由此出发。因果律者，为鬼谷子全脑中所充布而承认之原理，虽于本书中无专篇论及，要之无论书中任何处，均可摘出一节或一二句，以表现此种因果的理想，兹故不赘。

（二）“反复”的“法则”。“反复”者，亦《鬼谷子》经验的哲学方法之重要法则也。《鬼谷子》之知识论以“己”即我为本位，“人”非我或曰“彼”为对位，其立论之根据为世界上顶天立地之人，其为极端之唯物主义者了然无复疑义。因之，其思辨之方式自然不能离人的单位。吾今先举其《反应》篇中之理论，以考察其立论之主要的观点，其言曰：

“反以知彼，覆以知己。”

此种论理的方法，盖《鬼谷子》哲学方法上一贯之条理也。此其方式建于正反两方面之上，其意中包含一“类”的“审定”在内，盖由前文所论“己”之“自知”，乃“类”推于一般之“人”，然后“反”而求之于“彼”，即前文“知人”之“人”，即非我也。故曰“反以知彼”也。由此以推其论理的方式，乃为二段法。如曰：

正：“己”所利者，“彼”亦以为利也。

反：“己”所不利者，故知“彼”亦以为不利也。

此种两段式之论理，隐然为三段法之简略的。如由三段法解释，应有下列之方式，为《鬼谷子》的两段法所包含在内，兹举其所简略之方式如下：

“己”所利者，一般“人”皆以为利也。注意此“人”字非《鬼谷子》所谓“人”，《鬼谷子》所谓“人”者，“彼”也，非我也。

“彼”此《鬼谷子》前文所谓“人”，即“非我”。者，亦人也。故“彼”亦以为利也。

故由《鬼谷子》之论理，随处隐有“类知”即类推之方法在内。兹请再进研究其“覆”的方法，如曰：

反：“己”所不利者，“彼”亦以为不利也。

覆：然则“彼”所不以为不利者，“己”亦以为“不以为不利”也。

由“彼”之故而覆之于“己”，故曰“覆以知己”。覆之作用含有由反面的否认之意味，《鬼谷子》所以不言正反而曰反复者，即此意也。此《鬼谷子》思考法则上最精警之部分也，此中亦隐有三段法，为《鬼谷子》所简略者，如次：

“彼”不以为不利者，以其有利也。

“彼”与“己”者，利害相同者也。

故“彼”不以为不利者，“己”亦不以为不利也。

此中自隐有数个三段式的推论在内，在《鬼谷子》之“类”，殆无时而不隐于“反复”的推论之中，由此以“知己”、“知彼”，由此而互“相知”，则我与非我之关系完全明了矣。故曰：“其相知也，若比目之鱼；其见形也，若光之与影也。”见前章所引由此观之，“反覆”的法则为鬼谷经验哲学之主要方法可知。吾人观《鬼谷子》书中极注重此类“反覆”求知的法则，兹列举其言如下：

“反以观往，覆以验来；反以知古，覆以知今。”

“动静虚实，不合于今，反古而求之。事有反而得覆者，圣人之意也。”

“言有不合者，反而求之，其应必出。”

“己反往，彼覆来，……重之，袭之，反之，覆之。”

“以反求覆，观其所托。”以上《反应》篇

“远而可知者，反往以验来也。”

“或抵反之，或抵覆之。”

“可引而反，可引而覆。虽覆，能复，不失其度。”以上《抵巇》篇

“反复相求，因事为制。”《忤合》篇

据此，“反复”求知乃系经验世界中之唯一法则，与前章所发见之“类知”的法则息息相关。以与黑格尔之哲学方法所谓“正”、“反”、“合”之对演法者比较观之，实有十分相似之点：其在“反覆”之应用，由“反覆”而得“类”，由“类”而行“反覆”，与黑氏之一正、一反、一合之对演分合，直可谓吻合无间。此种经验的法

则，原为现代一般应用科学方法之学者当然应有之结论，本不足异，不过鬼谷先生于二千余载以前，乃同具此见解，不能不谓之卓绝尔。

（三）“量权”的“法则”。“量权”的“法则”者，论理上之比较的研究法也。其在《鬼谷子》学中为具体而重要之基本法则，犹之比较法之在论理学上为其基本的法则相同。《鬼谷子》之言曰：

> “何谓量权？曰：度于大小，谋于众寡，称货财之有无；料人民多少，饶乏，有余、不足几何，辨地形之险易，孰利孰害；谋虑，孰长孰短；揆君臣之亲疏，孰贤孰不肖；与宾客之知睿，孰少孰多；观天时之祸福，孰吉孰凶；诸侯之亲疏，孰用孰不用；百姓之心，去就变化，孰安孰危，孰好孰憎，反侧孰便。能知此者，是谓量权。”《揣》篇按原本作“权量”，必系传钞之误。本篇前文言“量天下之权”、“量权不审”、“何为量权”，凡三见，在本篇中其为量权之误无疑，兹考正。
>
> “故计国事者，则当审量权。”《揣》篇。按文误，同前，兹并考正。
>
> “是故圣人……审察其先后，度权量能，较其技巧短长。”《捭阖》篇
>
> “皆见其权衡轻重，乃为之度数。……其不中权

衡度数，圣人因而为之虑。”《捭阖》篇

“凡度权量能，所以征远来近。立势制事，必先察同异之党。别是非之语，见内外之辞，知有无之数，决安危之计，定亲疏之事，然后乃量度之。其有隐括，乃可征，乃可求，乃可用。”《飞箝》篇

“将欲用之天下，必度权量能，见天时之盛衰，制地形之广狭，岨崄之难易，人民货财之多少，诸侯之交孰亲孰疏、孰爱孰憎。……用之于人，则量知能，权财力，料气势，为之枢机。”《飞箝》篇

“用之天下，必量天下而与之；用之家，必量家而与之；用之身，必量身材能气势而与之；大小进退，其用一也。”《忤合》篇

“故忤合之道，已必自度材能知睿，量长短远近，孰不如……”《忤合》篇

“夫度材、量能、揣情者，亦事之司南也。”《谋》篇

“因其恶以权之。”《谋》篇

“量权”的法则在《飞箝》篇称“权量”，在《揣》篇言“量权”，意义实相同。按《论语》“谨权量，修法度”，此其言之所本也。苏子于述作之间初无若何分别，第以行文之便而有不同耳。此种法则之重要，观其书中应用范围之广可知。以今语言之，此种详密之比较的研究法完全为

论理学上之归纳法。今日之论理学，其论归纳法，吾未见其与《鬼谷子》有若何之差异。不过《鬼谷子》“量权”之学为实用的，而归纳的论理学则为纯理的，其法虽同，而立场固有别耳。

（四）“符应”的“法则”者，《鬼谷子》经验哲学之直接的方法也。根据一种事实的经验，经“量权”体认以后，遂发见一种直接征验的方法，曰“符应”。“符应”云者，取其经验之合理者，

证之于事实而相符，征之于人事而相应者也。换言之，由内心数度之经验而征之于外、证之于内，内外皆相“符”，乃从而“应”之；其不相符者，则“反而求之，其应必出”。如是始谓之真理，如是而经验的哲学方法之原理始完成无缺也。《鬼谷子》之言曰：

“微而证之，符而应之。”《谋》篇

“若探人而居其内，量其能，射其意。符应不失，如塍蛇之所指，若羿之引矢。”《反应》篇

“言有不合者，反而求之，其应必出。”《反应》篇

“方来应时，以合其谋。”《内揵》篇。按此句下原文有“详思来揵往应，时当也。”九字，疑非《鬼谷子》原文，殆为战国时人注释之词，故不引及。

“内符者，揣之主也。……摩之以其所欲，测而

探之，内符必应。其应也，必有为之。”《摩》篇

“摩之在此，符应在彼。从而用之，事无不可。”《摩》篇

“摩之以其类焉，有不相应者。”《摩》篇

“参调而应，利道而动。”《权》篇

“符应”者，《鬼谷子》证成其经验的哲学之方法也。变化应用，以其所施而不同，故或在主体方面言，或在客体方面言，其观点遂以人而不同。至施用之目的，亦以事而有异。若是则其言之所指亦略殊，而要其原则则无不同，吾故以“符应”的法则为鬼谷经验的哲学方法之完成其理论之基础也。

《鬼谷子》的权谋学原理

鬼谷子权谋学之原理，建于其哲学的思想及方法论之基础之上。溯其渊源，始于吕尚《周书》，详于老聃学说，具于孔门《易》学，变于孙子兵略，而组织完成于鬼谷先生，纂述附衍于苏秦。其学说精深微妙，极形势张弛之理，尽权制变化之奇，古今殆无其比。高似孙以为“一代之雄”，信不诬也。

今本《鬼谷子》书于权谋学为专门之叙说者，有“抵巇”、“忤合”、“揣”、“摩”、“谋”、“决”、“符言”暨《本经》“分威”、“散势”、“转圆”、“损兑”、“持枢”等凡十二篇，类皆以权谋之纯理的研究为主。此外各篇虽无在不有权谋学上之理论杂错其中，惟大致均以说辞学之叙论为主体，故不具列。至此十二篇之中，间有及说辞学者，亦以其体用的不可分之关系，而附带及之云耳。

权谋学之组织

鬼谷先生于权谋学上之组织，当为之树立各个之法则，分列篇目，或附篇中，各为说明，与其说辞学之组织无殊。惟《揣》、《摩》二篇为苏秦作品，虽究其内容多为推衍师学而作，然其学说自具有特殊之地位。不过苏子阐述师学，引伸发明，独著此二篇以附于师说之后，足知其学之大体本于鬼谷，要无疑义。观《揣》篇首节之论量权（见前章第三节“量权的法则”中所引），其要义均先见于《捭阖》、《飞箝》、《忤合》诸篇中，虽以《揣篇》为较详尽，而实为重复迭见之作可征，此文断为苏子自己作品，故不害其为重复，否则鬼谷先生之学说以其论理之精密，不宜有此重复之作也。故兹篇亦以列于权谋学系统之下，为组成其学说全体之一部，盖以明其师徒传述之迹也。惟揣摩之学纯以情欲上之变态为其推考之对象，故其法则不外由心理上测定隐微、检索情欲之方法，亦可谓为政治心理学之一部。此与鬼谷权谋学上之心理的基础关系极为密切，若舍弃其说，则无以窥政略学之藩奥。

《鬼谷子》权谋学上之组织系统，兹详细分晰其内容如下表。

《鬼谷子》权谋学组织系统表

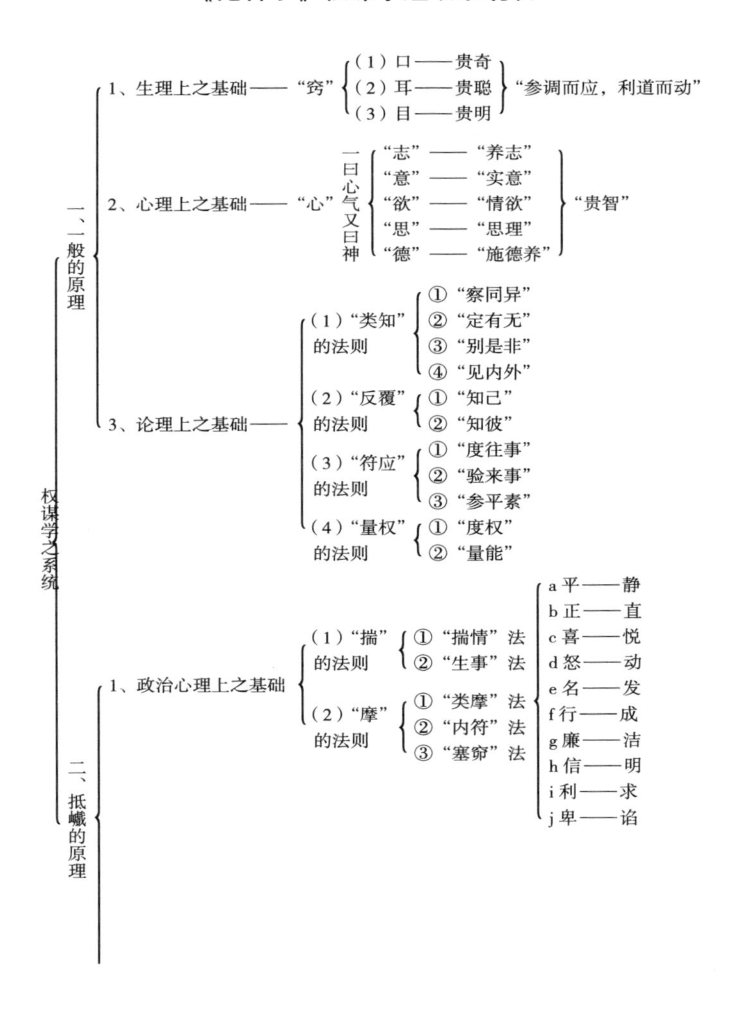

二、抵巇的原理

- 2、政略上之形式的内容
  - （1）“三仪”的法则
    - ①上
    - ②中—计—正—正；奇—正；奇 {a 上 / b 中 / c 下} 计
    - ③下
  - （2）“决疑”的法则
    - ①标准的方法
      - a 阳德
      - b 阴贼
      - c 信诚
      - d 蔽匿
      - e 平素
    - ②四段的方式
      - a 度
      - b 验
      - c 参
      - d 决
  - （3）“转圆”的法则
    - “五段”法
      - ①圆
      - ②方
      - ③转化
      - ④接物
      - ⑤要结
- 3、政略上之实质的内容
  - （1）“捭阖”的法则
    - ①“实利”法
    - ②“出纳”法
  - （2）“内揵”的法则
    - ①“内揵”法
    - ②“外揵”法
    - ③“时变”法
  - （3）“飞箝”的法则
    - ①“立势”法
    - ②“飞缀”法
  - （4）“忤合”的法则
    - ①“反忤”法
    - ②“制事”法
      - a 第一例：三才
      - b 第二例：因事
      - c 第三例：计谋
  - （5）“分威”的法则
    - ①“威覆”法
    - ②“动变”法
  - （6）“散势”的法则——“行间”法

上表所列一般的原理上生理、心理、论理的基础均为说、权二学组织共同之基点，具见第四章第二节、第三节。此为其哲学上之理论及方法之本旨，无待烦说。此外，依次类分，除上述政治心理上之基础，即揣摩的学说为苏子之学说，自具有特殊之地位外，由权谋学之根本观念——即抵巇的原理——出分，约可别为形式的方面与实质的方面两部。形式方面盖就权谋上之形式，由纯理的分析其内容也；实质方面盖就事变上之适应的法则而论，其实质之内容也。前者为纯理的，后者为事实的；前者为主体的，后者为对方的，此其别也。至其内容，详第三节、第四节，兹不具述。

权谋学之根本观念——抵巇的原理

权谋学上之根本观念，鬼谷先生名之曰抵巇，其言曰：

> “〔圣人者，天地之使也。〕按本篇多错简，此句错简在后，误也。兹考正。事之危也，圣人知之，独保其用；因化说事，通达计谋，以识细微。经起秋毫之末，挥之太山之本。其施〔外〕兆萌牙孽之谋，皆由抵巇。抵巇隙为道术。”《抵巇》篇
>
> 按“其施外兆萌牙孽之谋”句，义不可通，疑有讹误，待考

《鬼谷子》言“抵巇隙为道术”，此明示人以其权谋学上之第一原理为“抵巇”也。抵巇的界说，鬼谷子言之甚详尽，其言曰：

> “巇者，罅也。按阮元跋读巇如呼，此古声训字之义也。罅者㵎也。㵎者，成大隙也。巇始有朕，可抵而塞，可抵而却，可抵而息，可抵而匿，可抵而得，此谓抵巇之理也。——〔天下分错，上无明主，公侯无道德，则小人谗贼，贤人不用，圣人窜匿，贪利诈伪者作，君臣相惑，土崩瓦解而相伐射，父子离散，乖乱反目，是谓萌牙巇罅。〕”
>
> 按此节原文中杂有错简，此节当连接上文，文理始畅，兹考正。

此其树义严整，展转训释，豁然贯通，鬼谷权谋之学胥由此原理发生。何以言之抵巇者？当政治上之“时”与“事”、与“人”数项机会的凑合之际，而运用其谋略以取得政权之谓也。其中并含有积极的进行之意义，故由政治的普通环境言，则有适当的因应方略之义；故由危险的环境言，则有谋得相当的出路之义。易词以言之，抵巇的原理乃活动的、猛进的、积极的、自由的、适应的之政略上之原理也，故曰“巇始有朕，可抵而塞，可抵而却，可抵而息，可抵而匿，可抵而得”，此之谓也。由此言之，权谋学上之目的实以“抵巇”为其研究的对象，可抵之中又自有其进动之方向，如何而抵以塞之，如何而抵以却之，如何而抵以息之，如何而抵以匿之，如何而抵以得之，凡此皆须运用其适当的方法，由是而权谋学之方略论缘以发生。故《抵巇》篇又曰：

> “圣人见萌牙巇罅，则抵之以法。世可以治，则抵而〔得〕原文误作“塞”之；不可治，则抵而〔塞〕原文误作“得”之。或抵如此，或抵如彼；或抵反之，或抵覆之。——〔世无可抵，则深隐而待时；时有可抵，则为之谋。〕”按此二句原文上有错简，误也。此二句应连接上文，兹考正。
>
> 按“世可以治，则抵而塞之”，原文作“塞”，误，当改作“得”；又“不可治，则抵而得之”，“得”字亦误，当作“塞”。本书原文二字错出，今正。

此其所论抵巇的动向之变化，其理各殊，则其所以为谋者自亦各有不同，此权谋学上各项法则之所由立也。刘向《说苑》言“道逆时反，而后权谋生焉”，此之谓也。兹请分论抵巇的原理上之各项要素。

第一目　巇

“巇者，罅也。罅者，㵉也。㵉者，成大隙也。”此其展转互训，意义渐明。《飞箝》篇所谓“或伺候见㵉而箝之，其事用抵巇”，所谓“㵉”者，即“巇始有朕”之“朕”，故曰“伺候见㵉”也。按《汉书·杜业传》“业因势而抵陒”，服虔曰“陒音义，苏秦书有此法”，“陒”即“巇”也。又颜师古注曰：“陒，毁也……一说读与‘戏’同，言击其危险之处，鬼谷有《抵巇》篇。”又陆佃注《鹖冠子》曰“中险司巇也”，是“巇”犹“险”也。又陶弘景注曰“巇，衅隙也”，陆佃亦曰“巇，间隙也”。《鹖冠子·天则》篇原文曰：“见间则以奇相御人之情也。”是“巇”者，间隙也，“㵉”犹“间”也，由是言之，“巇”的意义本来为空间性，及其在政治上则兼有时间性，并赋有政治上的时会之意义。所谓政治上之时会者，以政象变化离合之际而觊得其间隙，以为政治活动之准据之谓也。故《抵巇》篇复曰：“自天地之合离终始，必有巇隙，不可不察也。察之以捭阖，能用此道者，圣人也。”此言政治上之“巇隙”，犹言政治上之时会也。至“巇隙”之察，则以“捭阖”为用。捭阖的原理之演化，见前章第二节始于名实之理，察于同异之辨，制于事机之先，变于阖辟之外，决于危微之时。其理隐微，变化不测，运用之道，存乎其人，故曰“能用此道者，圣人也”。由此可见说辞学与权谋学相互关系之密切，其合组完成为政略学上之二大柱石，非无故也。此其要素一也。

第二目　抵

"巇始有朕"，见巇之朕而后可以"抵"。"抵"者，击实也。颜师古曰"抵，击也"，陶注曰"抵，击实也"，陶义为长。按杨子《法言》曰："或问：'蒯通抵韩信，不能下，又狂之。'曰：'方遭信闭，如其抵。'"是"抵"者，说而中其险要之谓也。又许氏《说文》"抵，挤也，挤排也，摧挤也"，《段注》曰"排而相比也"，又曰"《释诂》、《毛传》皆曰摧至也，即抵之义也"，是"抵"者，排而挤之之谓也。由是言之，"抵"的意义有立势以相排，及击而中其险要之二义，此其在政治上所谓"立势制事"《飞箝》篇之道也。司其巇，知其朕，及政治上之时会既至，则为张立形势，随事而制驭之，此即抵之术也。斯其要素二也。

第三目　反验

反验者，"反覆"的法则及符验的法则之应用的方法也。抵巇之理，必先求知，而求知之法，以论理上之"反覆"的法则，及"符验"的法则为其必经之阶段，故其言曰："物有自然，事有合离。有近而不可见，远而可知。近而不可见者，不察其辞也；远而可知者，反往以验来也。”《抵巇》篇此其言“反”、“验”，盖兼论理上之二项法则以言，其详见本篇第四章。然“反验”并用，其法最为精密。杨子《法言》曰：“君子之言幽，必验乎明；远，必验乎近；大，必验乎小；微，必验乎著。”即此义也。此其要素三也。

第四目　因化

因化者，深察政治上变化之迹象，豫决其未然之理，循其变化之将然而推进之之谓也。此为权谋学上最精要之部份，盖权谋之用，取捭无穷，其变要在“因化”，必“豫审其变化”，《捭阖》篇因而裁之，则进退、得失、去就、倍反，其权制在我，所谓“化转环属，各有形势，反复相求，因事为制”，《忤合》篇即此理也。故《抵巇》篇曰“事之危也，圣人知之，独保其用；因化说事，通达计谋，以识细微”，又曰“能因能循，为天地守神”，即谓是也。至《忤合》篇言“是以圣人居天地之间……必因事物之会，观天时之宜，因知所多所少，以此先知之，与之转化”，亦释此义也。此其要素四也。

第五目　时

时者，时机也，抵巇的原理之先决的条件也。时机与事实之关系，常互为因果，时机可以生事势，事势亦可以转换时机，其间转变之机盖在人为，顾亦有非人力所能及者，此则谓之世运。此譬之战争之起，有缘于误会而发，斯原为人力所可避免，而卒不可避，则此种政治上之变象，只可名之曰世运。世运者，政治上之时间，非人力所能为谋者也。故《抵巇》篇曰“世无可抵，则深隐而待时；时有可抵，则为之谋”，此之谓也。大抵鬼谷之学以因时变化为原则，司马迁《自序》所引逸文曰“圣人不朽，时变自守”，按今本无此文，《索隐》曰“此出鬼谷子”，盖逸文也。此其学固以随时势之变迁而讲求适应环境之方略为其基点，此与《国语》所引范蠡之言曰“从时者，犹救火追亡人也，蹶而趋之，唯恐弗及”，《荀子·天论》曰“望时而待之，孰与应时而假之”，《韩非子》所言“世异则事异，事异则备变”，《说苑》所言“时乎时乎，间不及谋；至时之极，间不容息”，其义完全相符。至于“深隐待时”之说，盖非得已，此鬼谷先生之所以终隐林下也。按《荀子·宥坐》篇引孔子曰“君子博学深谋，修身端行，以俟其时”，又《孟子》亦曰“虽有镃基，不如待时”，待时之说，殆儒家之学说也。又《论语》曰：“宁武子邦有道则知，邦无道则愚。其知可及也，其愚不可及也。”又曰：“用之则行，舍之则藏。”又曰：“天下有道，则见；无道，则隐。”据此，则“深隐待时”之说均出于孔门，然孔子即非能躬践其说者，故周游列国，冀以求合。若是则深隐之行固非政治家应有之态度也，其不幸而出此，固非得已也。此其要素五也。

备斯五要，而后抵巇的原理始克成立，此权谋学上之根本观念也。

权谋学之方式

权谋学之形式的方法，其法则有三：一曰三仪，二曰决疑，三曰转圆。凡此三项法则，皆从主观上决定其方式者也。此种抽象的研究，纯粹离开权谋上之实际的方略，而讨究其法则之方式，亦可谓之权谋学之纯理的方法论。然此种方式之成立，有其先决之条件三：

（一）求因。因者，事实的原因也。因果律之支配为政治上任何不能反对之事实。凡事之因果不明，则其变化未由推测；变化既不可测，自无法以求其适当之因应方略，则计谋自失其准据而未由决定矣。故凡决策定计，其第一之先决问题为求因；求得其因，则其所据以行推理之前提不妄，而其智略之所施始能时措其宜。《谋》篇有言曰“凡谋有道，必得其所因，以求其情”，此之谓也。斯其先决之条件一也。

（二）求情。情者，实也，此其义与“声闻过情”之情的意义相同。“人之欲也”。许氏《说文》曰：“情，人之阴气有欲者。”董仲舒曰：“情者，人之欲也，人欲之谓情。”《礼记》曰：“何谓人情？喜、怒、哀、惧、爱、恶、欲七者，不学而能。”《荀子·正名》以“性之好、恶、喜、怒、哀、乐谓之情”，又曰：“欲者，情之应也，所欲以为可得而求之，情之所必不免也。”故由人类之需要言，其政治上之欲望固不能外乎人情，必得求人之实情；以知其同异，而后能知彼知己，而后权谋之设施其对象乃始无误无悖，此求情之法之所以必要也。本节上文所引《鬼谷子》之言暨《谋》篇言“察同异之分”，《捭阖》篇言“微捭其所言，以求其利”，此皆求情之学说也。按《荀子·非相》篇言“以人度人，以情度情”，《吕氏春秋·审分》篇言“按其实而审其名，以求其情”，亦此义也。斯其先决条件二也。

（三）意会。意会者，权谋学上之主观的方法也，其在人格论上则名曰“实意”。《本经》曰“计谋之虑，务在实意，实意必从心术始”，此之谓也。其在思考之程序上，则名之曰“意虑”，又曰“意虑交会”。均见《本经》意者，个别的观念也；虑者，各个观念的联合之推考作用也；“意虑交会”者，概念之联合作用也。概念之联合，为心理上构成意识的现象之主要的因素，为论理上构成论理方式之根本的要素，为权谋上决定方略之枢要的基础，故其法不惮于繁复，不苟于武断。故《本经》曰：“故信心术守真一而不化，待人意虑之交会，听之候之也……意虑不会，则听不审矣；候之不得，计谋失矣。”此所谓“听候”者，即意会上之重要方法也。蒯彻说韩信曰“听者，事之候也；计者，事之机也”，其言即谓是也。斯其先决之条件三也。

审斯三义，实为权谋学上之基本的方法，无论任何方式，无不具斯三法，以为其组织上之主要的条件。不论形式的方法、实际的方略，无不皆然。此权谋学之方法论之要义也。

三义既明，请进论其形式的方法之法则。

第一目　三仪的法则

三仪的法则者，权谋学上决策发机之要术也。“仪者，度也”，墨子谈辩学所谓“言必立仪”，“仪亦法也”，权谋学之方法厥名曰“三仪”。《谋》篇之言曰：

> “凡谋有道……审得其情，乃立三仪。三仪者，曰上、曰中、曰下。参以立焉，以生奇，奇不知其所‘壅’，按秦校本作“壅”，宋《道藏》本作“拥”。始于古之所从。”

“三仪”者，形式上之主要方法也。谋策之发，必先决定其形式，《鬼谷子》之定式别之为三，“曰上、曰中、曰下”。上者，上计也，考度上智之思虑，研究其所取之步骤，决定其适应之方略，是之谓上；中者，中计也，中人之材能智识之所及，其程限有一定，其矩镬有所同，其趣舍有必至，从而决其策之所向，是之谓中；下者，下计也，下愚之人材术短浅，识虑有限，闻见未广，思察未周，失于审度，误于取舍，悖则倍其义，暴则忘其理，利则勇于进而忘其患，害则急于避而丧其守，凡此其人动静可知，谋策易决，是之谓下。三策所立，人情俱至，周而察之，事会可知。此鬼谷子立谋之术，而“三仪”的法则之要义也。兹据《史记·黥布列传》所记，列其方式如次：

> “淮南王布反，上召诸将问计……薛公对曰：‘布反不足怪也。使布出于上计，山东非汉之有也；出于中计，胜败之数未可知也；出于下计，陛下安枕而卧矣。’上曰：‘何谓上计？’对曰：‘东取吴，西取楚，并齐取鲁，传檄燕、赵，固守其所，山东非汉之有也。’‘何谓中计？’‘东取吴，西取楚，并韩取魏，据敖仓之粟，塞成皋之口，胜败之数，未可知也。’‘何谓下计？’‘东取吴，西取下蔡，归重于越，身归长沙，陛下安枕而卧，汉无事矣。’”

上记《史记》之文，三仪的法式之实例也。

然三仪之法，其正则也。至其变则，则为权谋学理想上之根本方式，《鬼谷子》名之曰“奇”。“奇”者，异也，正之反也。以今语释之，变异之方式斯谓之“奇”。其言“奇不知其所壅”，犹言“正不如奇，奇流而不止者也”，《谋》篇“流而不止”，故“不知其所壅”。壅者，塞也，陶注释蔽，其义尚晦。按《道藏》本作“拥”，疑“拥”、“壅”古以声近通假。《说文》“拥，袌也；袌，褱也；褱，夹也。”古作“裹夹”，今谓“怀挟”，宋本作“拥”，义亦未圆。鬼谷之言奇正，与《孙子》十三篇所言意义相同，《孙子》所谓“运兵奇谋，为不可测”，“奇正之变，不可胜穷”，胥此义也。然鬼谷子奇正之法出于三仪，所谓“参以立焉，以生奇”是也。三仪为正，正变则为奇，循是流变，苟其不止，义固不穷。兹以图表示其方式如下：

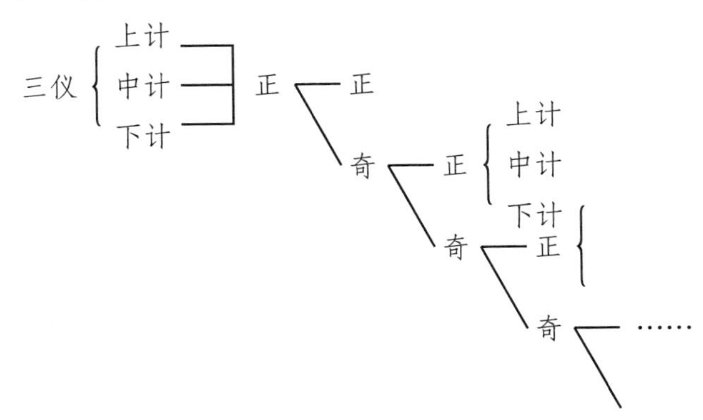

由上表观之，鬼谷所谓“奇流而不止”，及孙子所谓“善出奇者，无穷如天地，不竭如江河。”“奇正相生，如循环之无端，孰能穷之”，其义自明。然在实例上何者为奇，何者为正，此可以《史记·孙膑庞涓列传》文举其例如次：

正：“魏庞涓伐韩，韩请救于齐。齐威王召大臣而谋曰：‘蚤救孰与晚救？’成侯曰：‘不如勿救。’田忌曰：‘弗救则韩且折而入于魏，不如蚤救之。’”

上文所记者，正也，其在三仪的方式如次：

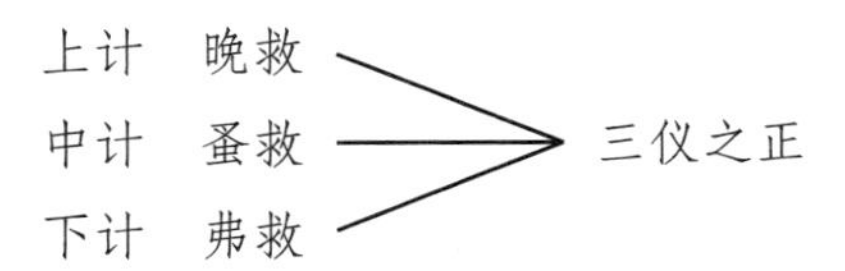

三策已立，奇于是生，故接观其下文曰：

“孙膑曰：‘夫韩、魏之兵未弊而救之，是吾代韩受魏兵，顾反听命于韩也。且魏有破国之志，韩见亡，必东面而愬于齐。吾因深结韩之亲，而晚承魏之弊，则可受重利，而得尊名也。’”

孙膑斯言，是主采其上策，而以晚救为利者也。由是而奇以立，其方式当如下：

奇："深结韩之亲，而晚承魏之弊。"

此其所谓奇，盖缘于正而生，由上策之决行而更加以变化，即所谓"参以立焉，以生奇"者是也。由是而奇之用乃至于无穷，而与兵略相参。阴许韩使而遣之，一也；救韩而直走魏都，二也；入魏地而日减其灶以示怯，三也；度马陵可伏兵乃斫树以致敌，四也。以其非本书之范围，故不具引，可参阅《史记》原文。此三仪的法则上之变则也。

第二目　决疑的法则

决疑的法则，亦权谋学上主观的法则也。事苟怀疑而不能决，则权谋将无所施，而事理之变亦且莫测，"疑事无功"，"蓄疑败谋"，此理之常也。蒯彻有言曰：

"知者，决之断也；疑者，事之害也。审毫厘之小计，遗天下之大数，智诚知之，决弗敢行者，百事之祸也。"《史记·淮阴侯列传》

由是言之，疑生于心，必害于其事，是故疑必待决而后谋成事集。顾疑何以决？此则有其必备之客观的条件，曰“利”，曰“害”。利害者，事实上所发生之关系之结果也。此种结果之在人我之间，乃始有其主观的认识，于是始命利者以为“福”，害者以为“患”。因其主观的认识而后遂有感情的“好恶”发生，由是以知人情之好恶，盖根据其客观的事实上利害之认识，苟其认识不明，“意会”不及，则疑义始生。《荀子·解蔽》篇言“凡观物有疑，中心不定，则外物不清。吾虑不清，则未可定然否也”，荀子之说是也。故决疑之法，首在阐明事实上利害之立场，而后事理始明，疑乃可决。故《决》篇有言曰：

> “凡决物，必托于疑者，善其用福，恶其有患，害至于诱也，终无惑偏。有利焉，去其利，则不受也；〔利〕原文作“奇”，误，据下文当为“利”字之误，兹正。之所托，若有利于善者，隐托于恶，则不受矣，致疏远。故其有使失利，有使离害者，此事之失。”

此决疑的法则上之客观的条件也。

然决疑的法则之成立，《鬼谷子》尝于主观上别之为五个标准方法：（一）曰阳，（二）曰阴，（三）曰信，（四）曰蔽，（五）曰平。据此五法，以解决政治上一切疑难问题，其言曰：

> “圣人所以能成其事者有五：有以阳德之者，有以阴贼之者，有以信诚之者，有以蔽〔匿〕按本文用韵，此“匿”字当系“慝”字之误，德、贼、慝韵。之者，有以平素之者。阳〔励〕“励”字义不可通，“勵”、“動”形近，疑为“动”字之误。按许氏《说文》引《周书》曰“用劢相我邦家，读与厉同”，疑因“励”、“劢”通假而误，盖以枢机为用，则当言动，不当言励也。待考。于一言，阴〔励〕于二言，平素枢机以用，四者微而施之。”《决》篇

凡兹五法，“决情定疑”之标准法则也。兹分论之如次：

（一）阳德。阳德者，事襮于外，“言动于一”，即所谓“阳动于一言也”。理直词壮，义之所至，福利生焉者，则可以阳德决之也。

（二）阴贼。阴贼者，其谋阴，其辞枝，《易·系辞》所谓“中心疑者，其辞枝”者是也。理隐于衷，“言动于二”，即所谓“阴动于二言”也，二者，地之数也，阴卦之象也，支离之义也，不信之言也。则可以阴贼决之也。《庄子》言“析交离亲谓之贼”，语见《渔父》篇，或疑《渔父》为伪作，要是庄子弟子所为，盖掇古训以成篇者。此其析义甚古，非战国时人断不能为此语。《庄子》之义是也。

（三）信诚。信诚者，“言为可复”，“诚中形外”，以相要结者，则可以信诚决之也。

（四）蔽慝。原文作“匿”，误，今考正。蔽慝者，恶匿于心，言尚奸伪，则可以蔽慝决之也。《庄子》言“称誉诈伪以败恶人，谓之慝”，亦见《渔父》篇，此亦战国古训遗文也，故备引之。庄说是也。

（五）平素。平素者，道之常也，理之顺也。“盈科而不舍昼夜”者，若是则可以平素决之也。按《淮南子》言“平者，道之素也”，《诠言训》贾谊《新书》言“平素而无设施也”，其说近是。

上述五法之应用，以“平素”为之枢机，而前四法为其活用之标准，故曰“平素枢机以用，四者微而施之”，此之谓也。按此文原有讹夺，平素枢机句中当有“为之”二字，于义始通。陶注拘于成文，故于此节所释义多牵强，其言“君道无为，故以平素为主；臣道有为，故以枢机为用。一也，二也，平素也，枢机也，四者其所施为必精微而契妙”，此其言竟不知其义何在。

凡斯五法，均主观上之必要的条件也，于是决疑的法则之形式的方法乃可得言。《决》篇又言曰：

“于是度之往事，验之来事，参之平素，可则决之。”

此决疑的法则上之方式之定义也。据此，决疑的方式当为四段法。兹举《赵策》苏子始合从说赵王之辞为例，如次：

“度”——“安民之本在于择交，择交而得则民安，择交不得则民终身不得安。”

“验”——“齐秦为两敌而民不得安，倚秦攻齐而民不得安，倚齐攻秦而民不得安。”

“参”——“故夫谋人之主，伐人之国，常苦出辞断绝人之交，愿大王慎无出于口也……大王与秦，则秦必弱韩、魏；与齐，则齐必弱楚、魏。魏弱则割河外，韩弱则效宜阳。宜阳效则上郡绝，河外割则道不通。楚弱则无援。此三策者，不可不熟计也。”

“决”——“故窃为大王计，莫如一韩、魏、齐、楚、燕、赵六国，从亲以摈畔秦，令天下之将相相与会于洹水之上，通质刑、白马以盟之，约曰：‘……诸侯有先背约者，五国共伐之。’六国从亲以摈秦，秦必不敢出兵于函谷关以害山东矣。如是则伯业成矣。”

此四段法之组织最为精密，殆为纯粹的经验主义思想之结晶。其应用方法中无时不运用其全部政略学之论理的方法，故其学说之影响于时代思潮至深且巨。其后庄周所谓：

“以名为表，以参为验，以稽为决。”《天下》篇

荀卿所谓：

“是非疑则度之以远事，验之以近物，参之以平心。”《大略》篇

凡此庄、荀二家，均皆绍袭其说，可征其说之在当时为一最有力之思潮无疑。

至于决疑的法则，其在客观的事实上有为常人所难决者，其事例凡四。《决》篇中列举其例曰：

“王公大人之事也，危而美名者，可则决之；不用费力而易成者，可则决之；用力犯勤苦，然而不得已而为之者，可则决之；去患者，可则决之；从福者，可则决之。”

按“王公大人”一语，四字连称，《墨子·尚贤》篇中凡数见，此为战国时代之通语，即此可证鬼谷书之为战国时代作品无疑。

上举四例，词义显豁，不待剖释。然“以疑决疑，决必不当”，《荀子·解蔽》篇事实上固有万难而进退维谷、靡审所决者，《鬼谷子》乃为之说曰：

"故先王乃用蓍龟者，以自决也。"《决》篇

蓍龟者，卜筮之法也。箕子《洪范》言：

"汝则有大疑，谋及乃心，谋及卿士，谋及庶人，谋及卜筮。"

卜筮之法，盖以神道设教以决众情，而使齐一其步骤者也。"智莫大于弃疑"，《荀子·议兵》篇疑必有所决，托之蓍龟，盖殷人之遗教也。然孔子固殷人之后也，据王充《论衡》引孔子曰：

"蓍，耆也；龟者，旧也。狐疑之事，当问耆旧蓍龟，未可取神也，取其名耳。"

《论衡》又曰：

"武王伐纣，卜筮大凶。太公推蓍蹈龟，曰：'枯骨死草，何能知吉凶乎？'"

仲任达识，陈义甚高，可谓卓解其言是也。要之，蓍龟者，决疑的法则上之形式的方法也。考殷人遗制，

主卜者当以蓍旧，其识广，其学博，其智高，其以神道设教，称命于天者，盖以决情定疑、平纠纷、息众议，其道固别有在也。

第三目　转圆的法则

“转圆者，无穷之计也。”《本经》经文圆者，浑圆也，《说文》：“圆，圜全也。”体物之形以为义也。依论理之顺序，此项法则当附于三仪的法则之下；然其所以有独立的价值者，其性质、其方式固自有特殊之点，而其运用则为政略学上全体之关系，故在形式的方法言，此项法则为贯通的方法。换言之，即将主观的条理、客观的事实、将然的事变、未来的计划打成一片，以其条理而组织成一整个系统之计划是也。故《本经》又曰：

> “无穷者必有圣人之心，以原不测之智；以不测之智，而通心术。〔故圣人怀此之用，转圆而求其合，故与造化者为始，动作无不包大道，以观神明之域。〕按此数句错简在后，其文均依古韵，兹考正。而神道混沌为一，以变论万类，说义无穷。”《本经》经说

此其义即所谓“一以贯之”的计划，以一承万，以类统变，譬圆之转，其义无穷也，是为转圆的法则。

转圆的法则上之客观的条件，鬼谷子别之为六，其言曰：

“智略计谋，各有形容，或圆或方，或阴或阳，或吉或凶，事类不同。〔天地无极，人事无穷，各以成其类，见其计谋，必知其吉凶成败之所终也。〕”

按此数句错简，见前文所引，此亦依古韵。此文当与上文“事类不同”相接，兹改正。

据此文，则转圆的客观条件一曰“圆”，二曰“方”，三曰“阴”，四曰“阳”，五曰“吉”，六曰“凶”。此种分类皆依客观的事实之性质，而判其着于事势之外形者曰“圆”、曰“方”，其蕴于事实之内容者曰“阴”、曰“阳”，其见于事变的结果者曰“吉”、曰“凶”。凡是分类，均建筑于其哲学上二元论之上，实则为反正的二分法之变相，故其性质上虽有六个之不同，而在实际上只有二个相反的定型，即“圆”与“方”是也。盖由圆方之变而为阴阳，由阴阳而变为吉凶，皆其类也。故曰其分为六，其实有二，此之谓也。

由是言之，圆、方二者实为转圆的法则上之定型，阴阳、吉凶特其变型。变型可以类引分，定型则为法则上之原理，此客观的条件上所宜明辨者也。

转圆的法则上之方式，一完全的五段法也。《本经》曰：

> “圆者，所以合语；方者，所以错事。转化者，所以观计谋；接物者，所以观进退之意。皆见其会，乃为要结以接其说也。”《本经》经说

此其言可析为五段：曰“圆”，曰“方”，曰“转化”，曰“接物”，曰“要结”。此种五段法，其本质纯粹以权谋学为之骨干，而以说辞学为其适用之工具。前章说辞学之原理所以未之及者，以其为权谋学上转圆的法则之方式，故宁略之于彼而著之于此。要之，此为说、权二学结合而成为政略学之根本组织，故上文所言贯通政略学全体之关系即谓是也。兹请分论五段法上之意义如次：

（一）圆。“圆者，所以合语。”合语者，言其权变之谋，犹浑圆之圜随对方之形势而动，语无悖违，是为合语。是之谓圆，其第一段也。

（二）方。“方者，所以错事。”错事者，事实既形，理有所自，察其所由，以知其所安，随事而制其宜，是为错事。是之谓方，其第二段也。

（三）转化。“转化者，所以观计谋。”观计谋者，所

谓“先知”也，“因事物之会，观〔时势〕之宜，以知所多所少，以此先知之，与之转化”。《忤合》篇，篇文“时势”二字，原文作“天时”。是之谓转化，其第三段也。

（四）接物。“接物者，所以观进退之意。”接物者，接触于事实也；进退者，事势之变也。政治上之形势，常以其环境之变迁而政略之策动、行藏、取舍以之而异，故必接之于物，考之于事而后明。是之谓接物，其第四段也。

（五）要结。“皆见其会，乃为要结以接其说也。”会者，会通也，“交会”也，关系之连结之中点也。总前四段之法，皆有以知其会通，乃为之归纳其关系，以接其说。是之谓要结，其第五段也。

审斯五段，政略学上之总经也。其法之用，以权谋之转而不穷，以说辞之辩而愈伟。兹以《燕策》苏子将为从北说燕文侯之辞为例，列举其式如左：

> 圆：“燕东有朝鲜、辽东，北有林胡、楼烦，西有云中、九原，南有滹沱、易水。地方二千余里，带甲数十万，车七百乘，骑六千匹，粟支十年。南有碣石、雁门之饶，北有枣、栗之利……此所谓天府之国也。”
>
> 方：“夫安乐无事，不见覆军杀将之忧，无过燕

矣。大王知其然乎？夫燕之所以不犯寇被兵者，以赵之为蔽于南也。”

转化：“秦、赵五战，秦再胜而赵三胜。秦、赵相弊，而王以全燕制其后，此燕之所以不犯难也。”

接物：“且乎秦之攻燕也，踰云中、九原，过代、上谷，弥地踵道数千里，虽得燕城，秦计固不能守也。秦之不能害燕亦明矣。今赵之攻燕也，发号出令，《国策》原文作“发兴号令”，文误，兹依《史记》改正。不至十日，而数十万之众军于东垣矣。渡滹沱，涉易水，不至四五日，距国都矣。”

要结：“故曰：秦之攻燕也，战于千里之外；赵之攻燕也，战于百里之内。夫不忧百里之患，而重千里之外，计无过此者。是故愿大王与赵从亲，天下为一，则国必无患矣。”

综观上述转圆的五段方法之应用，其义要在持变，故由吉而趋凶，由凶而转吉，皆以“先知”为之枢机。尽其变以致其用，研其理以致其功，以圆方为其形，以五段为其用，运用之妙常寓于无形，此则转圆的法则之极轨也。

权谋学之方法

权谋学上之实质的内容，为其方法论之全部亘于政略上全体之组织，无乎而不在。盖立势制事、揵合分威，咸依自然齐一律及因果律、反对律之定理，而进展固自有其一定之程序。由其程序之变易，遂有种种史实可据以立为方法，此其理论上之基础自益显明，毋俟繁释。大抵一种事实之发生，其前则有直接、间接之原因，其始则有时间、空间之位置，其存续则有环境、趋向之变异，其将来则有分合、变化之结果。以此递相推衍，因可为果，果复为因，以至于无穷。而事理之极，自可执其一端以知其本末，譬犹几何学上之一点，此其一点自含有科学之意义，由点而线，而面，而立体，而轨迹，而三角，无不可求，是故与其他若干之雨点、尘点、渍点以及种种之点显著异象。故由政略上谈权谋学之方法，除上节所述形式的方法之外，其实质的方法，实为昔贤所谓由凡入圣、由愚趋哲之必要的涂径，格物致知、即物穷理，其道鲜不由是，不过此在人生哲学上仅为其一部，而在精神的科学上则弥漫于政治社会学之全体。此种超理论之实质的方法，盖纯本于史实，殆为纯粹的历史之产物，其组织、其条理、其方式，若依科学上之法则，自可分类条析，以立政略的哲学之基础。兹请分别具论之如次。

第一目　捭阖的法则

上文第五章述说辞学根本之观念，以捭阖的原理为其出发点，其界说及内容均以说辞学为范围。然说辞之应用，原为人类表示其政治思想之某一种方式，其所以运用此项方式，而使之必能于其预定之范围内达到其本来希望之目的，则在政治思想上之本身亦自有其实质的方法。易词以明之，政治思想上之进展方向及程途，为决定其政治运命之锁钥，除去政治思想上所采之主义、政策而外，其本质均为政略。此政略云者，即以指示其政治上进展方向及程途者也。由是区别故在政治思想之实质上，其政略之方法仍自有准确之程序可循，此则完全离开说辞学之范围，而为权谋学上实质的方法论矣。二者制名虽同，范围全异，特以原书于说、权二学之叙述常不可分，故同以“捭阖”为其统名。要其界说内容均不相蒙，本节所论即完全超越于说辞学之外，而为纯粹的政略思想之本体论也。

权谋学上之捭阖的法则，其范围较隘。翕辟之变，腾于口说，著于思虑。思虑之程，厥有定准，时曰捭阖。捭阖之义，析之至明，兹更别其实质上之方法为两个阶段如下：

（一）实利法。实利法者，捭阖的政略之第一阶段也。《鬼谷子》之言曰：

> “审定有无，以〔求〕据下文增其实虚；随其嗜欲，以见其志意。微排其所言而捭反之，以求其实。贵得其指，阖而捭之，以求其利。”

虚实者，对方形势真相之所寄也。虚者以形，实者蓄势，张弛变化，随事转移，故必审定其有无，而后虚者不隐，而实者不掩。斯其方法纯以言语方式之变化为用，在实施之际并运用捭阖的、反覆的两法则，以求其真际，故对方之形势自然涌现，所谓“微排其所言而捭反之，以求其实”，即此义也。由是实情既得，趋向可知，利之所在，诘之则弗言其欲害之所归，阖之斯尽其隐，故又曰“贵得其指，阖而捭之，以求其利”也。实利之法虽有先后，而义相联络，析之若两事，而其法则一。此政略上捭阖的法则之第一阶段也。

出纳法。出纳法者，取予行藏之道也。《鬼谷子》曰：

> “故捭者，或捭而出之，或捭而纳之；阖者，或阖而取之，或阖而去之。”

凡政治的现象之变化，随时随地而其决策不同，故善谋虑者，必预睹政象之因果，而总持其开阖之关键。其抉择之标准固不能外乎第一阶段所行之实利的方法，然其临机设变之方则在于第二阶段，故同一“捭”也，而有“出”、“纳”之异；同一“阖”也，而有“取”、“去”之殊，此非捭阖的体不同，而其用则变也。

所谓“捭而出之”者，开其谋而使之出也，如诸葛亮之教刘琦是也。刘琦尝与诸葛亮谋自安之术，亮不对。后乃与亮升楼去梯，谓亮曰：“今日上不至天，下不至地，言出于子口，而入于吾耳，可以言未？”亮曰：“君不见申生在内而危，重耳居外而安乎？”琦意感悟。会黄祖死，琦遂求代其任，遂出为江夏太守。（事见《通鉴》）“捭而纳之”者，启其谋而使之入也，如苏子之纳张仪于秦是也。苏秦已说赵王而得相约从亲，然恐秦之攻诸侯，败约后负，念莫可使用于秦者，乃使人微感张仪曰：“子始与苏秦善，今秦已当路，子何不往游，以求通子之愿？”张仪于是之赵，上谒求见苏秦。苏秦乃诫门下人不为通，又使不得去者数日。已而见之，坐之堂下，赐仆妾之食，因而数让之曰：“以子之材能，乃自令困辱至此，吾宁不能言而富贵子，子不足收也，谢去之。”张仪之来也，自以为故人，求益，反见辱，怒，念诸侯莫可事，独秦能苦赵，乃遂入秦。苏秦已而告其舍人曰：“张仪，天下贤士，吾殆弗如也。今吾幸先用，而能用秦柄者，独张仪可耳。然贫，无因以进。吾恐其乐小利而不遂，故召辱之，以激其意。子为我阴奉之。”乃言赵王，发金币车马，使人微随张仪，与同宿舍，稍稍近就之，奉以车马金钱，所欲用，为取给，而弗告。张仪遂得以见秦惠王。惠王以为客卿，与谋伐诸侯。苏秦之舍人乃辞去。张仪曰："赖子得显，方且报德，何故去也？"舍人曰："臣非知君，知君乃苏君。苏君忧秦伐赵败从约，以为非君莫能得秦柄，故感怒君，使臣阴奉给君资，尽苏君之计谋。今君已用，请归报。"张仪曰："嗟乎，此吾在术中而不悟，吾不及苏君明矣！吾又新得用，安能谋赵乎？为吾谢苏君，苏君之时，仪何敢言！且苏君在，仪能渠能乎！"（语见《史记·张仪列传》）纳者，入也，古多假纳为内，内亦入也。陶注释为"纳而藏之"，非也。"阖而取之"者，闭其谋以取之，如任章之教魏桓子骄智伯以取其地是也。智伯索地于魏桓子，魏桓子弗予……任章曰："无故索地，邻国必恐；重欲无厌，天下必惧。君予之地，智伯必憍。憍而轻敌，邻国惧而相亲。以相亲之兵，待轻敌之国，知氏之命必不长矣！《周书》曰：'将欲败之，必姑辅之；将欲取之，必姑与之。'君不如与之，以骄知伯。君何释以天下图知氏，而独以吾国为知氏质乎？"君曰："善。"乃与之万家之邑一。（语见《魏策》）"阖而去之"者，键其谋而去之也，如张仪之说秦武王以去秦入梁是也。秦武王立，张仪惧诛，谓武王曰："为社稷计者，东方有大变，然后王可以多割地。今齐王甚憎仪，仪之所在，必举兵伐之。故仪愿乞不肖身而之梁，齐必举兵而伐之。齐、梁之兵速于城下，不能相去，王以其间伐韩，入三川，出兵函谷，而无伐以临周，祭器必出。挟天子，案图籍，此王业也。"王曰："善。"乃具革车三十乘，纳之梁。（语见《齐策》）凡是出纳去取，应变无方，因事制宜，视乎其人而已。然《鬼谷子》一归纳之于捭阖的法则之内，是则学有专至，取义自殊，要其为权谋学上之第一原则，固无容疑也。

第二目　内揵的法则

内揵的本义，前章说辞学上论之綦详，然依权谋学上之见地，其界说自与说辞学有别。权谋学上之内揵的法则者，谓上下亲疏之际、远近用舍之间，固有其素结本始之道，论述其方法，是曰内揵的法则。按《庄子·庚桑楚》篇曰：

> “夫外韄者不可繁而捉，将内揵；内韄者不可缪而捉，将外揵。外内韄者，道德不能持，而况放道而行者乎！”许氏《说文》：“获，佩刀系也。”《广韵》云：“佩刀饰。”《庄子音义》引《三仓》云：“佩刀靶韦也。”李云：“缚也。”

庄子持论虽深讥纵横家学说，然其说以外韄与内揵对举，内韄与外揵平列，词极古奥。其言“外韄者将内揵，内韄者将外揵”，是直纯粹纵横家言，可证战国时代内揵的学说尚有遗佚，为鬼谷所未及详者，盖藉庄子而传。由此更可以证论内揵的意义盖为相对的，而非绝对的，纯乎手腕的，而非辞说的。此则纯乎权谋学上之见地，而与说辞学上不同之点也。

内揵的法则者，变换环境、改造地位之方法也。论其方式，则有内揵、外揵二种。然举其要，斯曰内揵，其实不外两方面观点之不同，其方法则一也。然以二者方式之殊，其间转变因应之法遂可得言，故由内、外二揵法之外，而复有时变法存焉，此内揵的法则上之第三个方式也。兹分别叙论之如次。

（一）内揵法。内揵法者，依狭义解释，即内合法也。合者，结合也，鬼谷前文所谓“素结”者是也。故《内揵》篇曰：

> “事有不合者，有所未知也；合而不结者，阳亲而阴疏。”

此即结合之义也。然何持以为结乎？古今际遇，事类繁夥，鬼谷析举其类为四，曰道德，曰党友，曰财货，曰采色。此四者，昔人所持以为结合之绳索也，取之以其道，则内合之能事已毕矣。《鬼谷子》书为纯粹言理之书，本乎科学分析之精神，以述素结之种类，虽未杂以伦理学上之见解，然在末章则斥言“小人比人，左道而用之，至能败家夺国”，其意固已显明。至财货采色之结合，虽为伦理上所非难，要为古今历史上不可避免之事责，亦无可讳言者也。

然结合之义，若就整个观察，则有互相为用、糅合而不可分之意义，故曰“合而不结者，阳亲而阴疏”。可征内合之法以“结”为其唯一之条件。“结”的手腕虽有种种之不同，而其精神可撷《吕氏春秋》之言以表示其全体之意义，吕氏《不广》篇曰：

> “以其所能，托其所不能，若舟之与车。”

此即言结合之道若舟车之更相载也。舟与车之用同，而其适用之范围、地点则异，“能”托于“不能”，故能始终结合而无隙也。

然何以云“内”乎？身所立之环境、地位，有远近、亲疏之别，由远而近，由疏而亲，是曰“内”。内揵者，求其揵合于内，以近以亲者也。顾所以求内之方，依《礼志》之说曰：

> “将有请于人，必先有入焉；欲人之爱己也，必先爱人；欲人之从己也，必先从人。无德于人，而求用于人，罪也。”

语见《国语》所引，其说极古，此为古代内揵法之滥觞，是即求内之具体的方法也。故《内揵》篇曰：

“用其意，欲入则入，欲出则出，欲亲则亲，欲疏则疏。”

据此出入亲疏之道，其枢纽唯系于“用其意”一语，“用其意”者，即《礼志》之“先”、“用”之说，其意一也。

（二）外揵法。外揵法者，内揵法之反面，用诸内为内揵，用诸外为外揵。其原则同而方向异，形式同而取径亦异，此中关键，端视其环境、身分、地位之殊，而取径之方向自不能不于利害安危之间，慎择其比较安全而有利之一策以自处，故由内而外、由亲而疏、去此就彼、舍已从人，其法皆由外揵。故《内揵》篇曰：

“欲合者用内，欲去者用外。”

“用外”者，谓用外揵法也。又曰：

“上暗不治，下乱不寤，揵而反之。”

“揵而反之”者，反揵也；反揵者，内揵之反，是即外揵也。前文引《庄子》言：“内韄者，不可缪而捉，将外揵。”夫内既不能缪结，则隙末必生，虑于其始，慎守其终，故必将外揵以图自存。其势可因以为重者，则因之；其势不复并存者，则去之。此中何因何去，其判断纯在于主观，而所因所去则纯以外揵为其运用之手腕。其端至微，而其所系至巨，举其显例，若张仪之去秦，见前文注即其明效大验也。

（三）时变法。时变法者，内、外二揵法之活动的运用，以期适应于环境之变化，而取相当的手腕之方法也。质言之，即内、外二揵中互相转变之中间方法，而以切合于时间与环境为其必要的条件者也。其在《内揵》篇曰：

> “方来应时，以合其谋。〔详思来揵，往应时当也。〕按此二语疑是战国时人注释之词，不当杂入本文。夫内有不合者，不可施行也。乃揣切时宜，从便所为，以求其变。以变求内者，若管取揵。言往者，先顺辞也；说来者，以变言也。善变者审知地势，乃通于天，以化四时，使鬼神，合于阴阳，而牧人民。见其谋事，知其志意。”

此文所言之“时”，为时间上之意义者，如“四时”是也。其兼有时间环境之意义者，如“应时”、“时宜”等是也。应时之义，晚周时代盛为学者所称道，如《孟子》所谓：

"虽有智慧，不如乘势；虽有镃基，不如待时。"

又《国语》载范蠡之言曰：

"从时者，犹救火、追亡人也。蹶而趋之，惟恐弗及。"

又《吕氏春秋·不广》篇曰：

"智者之举事必因时。"

类此之说不胜枚举，要皆以"应时"为其主要的观点。至于时之所急切而需要者，厥义曰"时宜"。《国语》所称：

"待其来者而正之，因时之所宜而定之。"

此谓时宜，即适应环境之义，因环境之所适宜而选择其适当方略之谓也。然适当之方略不只一端，原视对方之主观而转移。对方之主观苟以情感或理智之偏向，而有特殊之我见，则其所取择之目标自以不同，故虽曰"时宜"，而有合、有不合者，此为事实上当然之结果，无可如何者也。故欲排除事实上之障碍，而推行内外二揵之法，则不得不有“时变”法以剂其变矣。故曰“夫内有不合者，不可施行也。乃揣切时宜，从便所为，以求其变。以变求内者，若管取揵”，此之谓也。

求变之法，附有二项条件，一曰时宜，二曰从便。夫前策虽切时宜，而未能内合，则必有其不可施行之理由在，故必更从其便者以求其变。《韩非子》曰：

> “世异则事异，事异则备变。”

韩非“备变”之说语简字异，而意则同，备变亦求变也。以此参证，足明“时变”法之义蕴矣。按《鹖冠子·天则》篇曰“变而后可以见时”，《鹖冠子》虽伪书，然此语的是战国时人遗说，此并可参证。

第三目　飞箝的法则

飞箝的意义，前章论之綦详，此其法则之本质，为权谋学上最重要的方法。除去其说辞学形式的方面之理解，所以制事立势、操纵取予，其机皆系于此。故在权谋学上抵巇的原理上言，如在“巇始有朕”之际，则其基本上之工作，即须为之揣立形势，以制置其事。此种必要之手腕，是曰飞箝。飞箝的法则，固不只在说辞学上发挥最大之效用，而实为政略上实质的内容中之极重要之一部，故研究中国政略学者，不能不于质料上讨论其方法，始能窥其全貌。依鬼谷子之理想，权谋学上飞箝的法则中，除适用一般的原理而外，即“类知”、“反覆”、“符应”、“量权”等诸论理的法则。并完全将说辞学上本法则之诸法即“隐括”法、“先征”法、“累毁”法、“钩箝”法。活动运用，以为其质料之一部，取之无尽，用之无穷，皆极其变，详见前章然后乃分两个阶段，以组成其法则。兹分论之如次。

（一）立势法。《飞箝》篇曰：

> “立势制事，必先察同异之党，别是非之语；见内外之辞，知有无之数；决安危之计，定亲疏之事，然后乃权量之。其有隐括，乃可征，乃可求，乃可用。引钩箝之辞，飞而箝之。”

又曰：

> “或量能立势以钩之……”

立势者，飞箝的法则上最复杂的方法也。其应用纯以各种比较的观察为基础，察同异、别是非、定有无、知内外，皆“类知”的观察也；决安危、定亲疏，皆“量权”的观察也。按韩非子之言曰：

“远听而近视，以审内外之失；省同异之言，以知朋党之分；偶参伍之验，以责陈言之实。”《备内》篇

韩非斯言，亦同以复式的推考作用为政略上之基点，其学说之对象虽不同，而其方法则一也。此种复式的推考作用，其论断之结果是曰“立势”。立势者，创立形势、阐明其政治上之立场及环境上变迁之趋势之谓也。孙子有言曰：

“计利以听，乃为之势，以佐其外。势者，因利而制权也。”《始计》篇

因利制权者，即立势之方也，此飞箝的法则上之第一阶段也。

（二）飞缀法。《飞箝》篇又曰：

“用之于人，则量知能、权材力、料气势，为之枢机。飞以迎之，随之，以箝和之，以意宜之，此飞箝之缀也。用之于人，则空往而实来，缀而不失，

以究其辞，可箝而从，可箝而横。”

“飞缀”法者，权谋学上最灵活的手腕之运用之方法也。其应用则纯以人为对象，而先行其复式的推考作用，盖与“立势”法同，故“量智能、权材力、料气势”，以为其推考的方法。必其推考正确不误，则其方针、决定亦必适合对方之需要，而后为之枢机，庶可以飞缀于人而勿失。此其时义一经断释，意自显豁，了无余蕴，然其法之实用，则尚有未易明晰者。所谓“飞以迎之，随之，以箝和之，以意宜之”者，其言兹可深味。按庄子之言曰：

“形莫若就，心莫若和。虽然，之二者有患。就不欲入，和不欲出。……彼且为婴儿，亦与之为婴儿；彼且为无町畦，亦与之为无町畦；且为无崖，亦与之为无崖；达之，入于无疵。”《人间世》

庄子此言，盖深得政略上之三昧者，“形莫若就，心莫若和”，则“飞以迎之，随之，以箝和之”之义也。何以谓之和耶？即庄子所谓“婴儿”、“无町畦”、“无崖”、“无疵”之互相从和也。

庄子又言曰：

“汝不知夫养虎者乎？不敢以生物与之，为其杀之之怒也；不敢以全物与之，为其决之之怒也。时其饥饱，达其怒心。”《人间世》

庄子所谓“时其饥饱，达其怒心”者，即深知对方之真意，而以适宜的方法应付之之义也。以此诠释鬼谷先生“以意宜之”之说，堪称达解，此外更无余义矣。此飞箝的法则上之第二阶段也。

上述之二个阶段既具，而后飞箝的法则以立，惟实施之际，固仍以说辞为用，事实上未能须臾离耳。

第四目　忤合的法则

政略上之实质，以权谋学为其主体，而权谋学上之法则，除其与说辞学共同者外，如“内揵”的法则、“飞箝”的法则等是。尚有三个主要的法则，“忤合”其一也。由权谋学上之根本观念言，即抵巇的原理之出发点，其第一步即已踏入“忤合”的法则之范围，盖“抵巇隙为道术”，《抵巇》篇而道术之始，势不能不以求合于其政略上所悬之目的为归，否则无以展布其政治上之理论，而使之见诸实行。故以对方之结合为其必要之手段，而结合对方之手段自有巧妙之涂径，换言之，即不能舍“忤合”而有其他更适当的步骤，此忤合的法则所以为权谋学上主要的法则也。《忤合》篇曰：

“凡趋合倍反，计有适合。”

又曰：

“成于事而合于计谋，与之为主。合于彼而离于此，计谋不两忠，必有反忤。反于是，忤于彼；忤于此，反于彼。其术也。”

又曰：

“古之善背向者，乃协四海，包诸侯忤合之地而化转之，然后以之求合。”

凡此所言“忤合”之义，已甚显明，然其法则可分为两个阶段，一曰“反忤”，二曰“制事”。兹请分言之。

（一）反忤法。反忤法者，即前文所谓“必有反忤。反于是，忤于彼;忤于此，反于彼”也。按《淮南子》曰：

“忤而后合，谓之知权。”《汜论训》

《淮南子》历引此言，非只一见，且复进而征之曰：

“圣人之言，先忤而后合。”

又曰：

“智者先忤而后合。”《主术训》

由斯可见“先忤后合”殆为道术之始，无可致疑。顾何以致忤？此必有其正义存焉。《吕氏春秋》曰：

“利不可两，忠不可兼。”《权勋》篇

唯其利之不可两，故利于彼而害于此；唯其忠之不可兼，故合于是而忤于彼。忤合之势既成，则主谋之计在所当决。《荀子》尝言曰：

“计者取所多，谋者从所可。”《正名》篇

计取其多，谋从所可，则忤合之法具，而权谋成。故集诸家之胜义，以之比较，则“反忤”法之真解灼然矣。

（二）制事法。《忤合》篇曰：

“化转环属，各有形势，反覆相求，因事为制。”

制事者，以形势为其必要的条件。而形势之推迁、利害之症结、祸福之向背，固在人为，而人为之臧否，其枢机厥为“转化”。必有形势之转化，而后“因以制于事”，则其事始立，此制事之方也。故《谋》篇曰：

“变生事，事生谋，谋生计，计生议，议生说，说生进，进生退，退生制，因以制于事。”

制者，“制权”也。见《孙子·始计》篇由进退而生其权，操之于已，施之于人，求之于事。其方法万变而不穷，其应用无施而不可，鬼谷先生于此种方法尝为极明细之举例，兹约举数端如次。

第一例。曰：

“夫仁人轻货，不可诱以利，可使出费；勇士轻难，不可惧以患，可使据危；智者达于数，明于理，不可欺以〔不〕诚，可示以道理，可使立功；是三才也。故愚者易蔽也，不肖者易惧也，贪者易诱也，

是〔谓〕因事而裁之。”《谋》篇

按“不可欺以〔不〕诚”句“不”字，及“是〔谓〕因事而裁之”句“谓”字，宋本原文均脱漏，而文义不可通，《荀子·大略》篇曰“知者明于事，达于数，不可以不诚事也”，荀子之义是也。谨为增正。

又按《鶡冠子·道端》篇曰：“临货分财使仁，犯患应难使勇，受言结辞使辨，虑事定计使智。”或疑《鶡冠子》为伪书，不足信，然此言盖本《鬼谷子》断断无疑。

使仁、使智、使勇，此三才的制事之方也，然其反例则为使愚、使不肖、使贪，此则三短的制事之方也。裁亦制也，故曰“因事而裁之”也。

第二例。曰：

“故因其疑以变之，因其见以然之，因其说以要之，因其势以成之，因其恶以权之，因其患以斥之。”《谋》篇

因事为制者，依其事类之不同，而所以制之之道亦有异。以上六例，皆消极的应制之方也。按《左氏传》引：

“史佚有言曰：‘因重而抚之。’”

此亦因势之所重而抚成之也，此“因”说之渊源也。又按《慎子》曰：

“天道因为天……因也者，因人之情也……用人之自为，不用人之为我，则莫不可得而用矣。此谓之因。”

此因字之定义也。又《韩非子》曰：

“因其所为，各以自成。”

“因而任之，使自事之；因而予之，彼将自举之。”以上均见《扬权》篇

又《吕氏春秋》曰：

“善说者若巧士，因人之力以自为力，因其来而与来，因其往而与往，不设形象，与生俱长，……顺风而呼，声不加疾也；际高而望，目不加明也，所因便也。”《顺说》篇

韩非、吕氏所言，与鬼谷先生之说若合符节。事变有殊，随机应付，计莫善于“因人之力以自为力”，“因

其所为各以自成”，则用力少而成功多矣。前述六例，特举其显要者而言耳。

第三例。曰：

> “摩而恐之，高而动之，微而［证］按宋本原文作“正”，误也，兹考正。之，符而应之，［壅］按宋本原文作“拥”，亦误，兹并改正。而塞之，乱而惑之，是询计谋。”《谋》篇

右举六例，纯就积极方面设计，测验对方之态度，而随时变换其对策，此盖攻势的政略之心传也。《孙子》曰：

> “利而诱之，乱而取之，实而备之，强而避之，怒而挠之，卑而骄之，佚而劳之，亲而离之。”《始计》篇

斯固不止兵略之运用有然，而政略之运用亦无不然也。

第五目　分威的法则

分威的法则者，亦权谋学之主要的法则也。政略上之作用，由主观上言，宜使其所持之方略充分发挥其威力，则其政略上之进行之过程，自减少其若干之困难；

而由客观上言，则亦必使对方感受精神之压迫，而分散其中心之注意，则“我专敌分”，《孙子·虚实》篇自可制胜于无形。故《本经》曰：

> “分威者，神之覆也。故静〔意〕固志，按宋本原文“意”字在“志”下，误也，兹依秦校改正。神归其舍，则威覆盛矣。”

神覆者，谓其精神之弥漫充布也。《吕氏春秋》曰：“精通乎天地，神覆乎宇宙”《本生》篇即其义也。其所讲威覆盛者，言充分发挥其精神上之威力也。按《韩非子》曰：

> “喜见则德偿，怒见则威分”。《八经》

又曰：

> “马惊于出彘，而造父不能禁制者，非辔筴之严不足也，威分于出彘也。”《外储》

由此言之，威分则神散，则志衰，志衰则力弱，力弱则势败。政略者，精神上之建设事业也，神散、志衰、力弱、势败，将何恃以为功？故分威的法则之成立，非无故也。

分威的法则有其必具之二阶段，如次：

（一）威覆法。《本经》曰：

> “威覆盛则内坚实，内坚实则莫当，莫当则能以分人之威，而动其势如其天。”

威覆法者，由主观的方面言者也。《中庸》有言曰：

> “发强刚毅，足以有执；齐庄中正，足以有敬。”

此立威之术也，盖精神的威力欲求其弥漫充布，以压迫对方，而使之屈服，则个性之修养自为首要之图，而意志之坚强，与智力之充实，尤为其必具之条件。非然者，固无以分人之威而动其势也。

（二）动变法。《本经》曰：

> “以实取虚，以有取无，若以镒称铢。故动者必随，唱者必和。挠其一指，观其余次，动变见形，无能间者。审于唱和，以间见间，动变明而威可分也。”按本文与上文所引相衔接

动变法者，由客观的事实言者也。客观的事实常以环境之变异，及对方之意旨为转移，故欲觇其动变，不得不细审对方之表示，所谓“审于唱和，以间见间，动变明而威可分也”。然此不过消极的方法，苟欲积极的施展其动变之手腕，则其义固有在。

《本经》又曰：

“将欲动变，必先养志、伏意以视间。知其固实者，自养也；让己者，养人也。故神存兵亡，乃为之形势。”按“神存兵亡”句，“兵亡”义不可通，疑“兵”字有误，待考。

视间者，动变法之真髓也，而其条件有二：曰养志，养志法，详见第四章第二节。曰伏意，即所谓“静意固志”也。按《管子》有言曰：

“视其所爱，以分其威，一人两心，其内必衰。”《禁藏》篇

《管子》为战国时人纂辑之书，其时代先后虽无可考，要其所谓“视其所爱，以分其威”者，固视间之术，无可疑也。

要而言之，上述之两阶段，其法实互相衔结，以组成分威的法则，而其枢纽乃以“神存”为其主要的条件。必其人精神健全，心不分骛，转精伏意，而后巇隙始见，乃可得而抵也；否则虽欲以间视间，其道固末由也。

第六目 散势的法则

散势的法则者，亦权谋学上主要之法则也。虽政治上之事势分合聚散，常以利害为转移：利在于此，而害于彼，则大势已分而为二；利半、害半，则疑决未定，势必散而为三。反之，害于此，而利于彼，则向之形势相反者，必以其利害之共同而互相要结，以共取同一之态度，纵以攻守之方略不同，而其最终最大之目的实无异，致迨及形势转变之机倪一露，则向之疑决未定者，必蹶然以起，以投其解决事势之最后的一票。诚如是，则政治的趋势所以较然易睹。然政治者，人类理想上之结合的行为也，换言之，即精神的事业也。而人类精神之方向，恒以其努力之结果而时时可以转移其政略上之目的，故事变之来，恒有出于常规以外，而非一般人所及料者。盖亦有因少数人集中努力之结果，而时势遂为之推移故也。由是言之，则人类精神之努力之集中，盖为政治上之必要的方略。实施此种方略之方法，鬼谷先生谓之“散势”，其言曰：

“散势者，神之使也。用之，必循间而动。威肃内盛，推间而行之，则势散。”《本经》

所谓“神之使”者，精神集中运用之谓也。所谓“推间而行之”者，间亦隙也。《荀子》杨倞注寻其隙末，推而行之，以散其势也。此散势的法则之本义也。案《荀子》曰“得间则散”，《强国》篇亦谓得间而后势散也。又《国语》载优施以枯菀说里克，使杀太子申生而立奚齐，里克不忍，旦而见平郑告之。

“平郑曰：‘子谓何？’曰：‘吾对以中立。’平郑曰：‘惜也！不如曰不信以疏之，亦固太子以携之，多为之故，以变其志，志少疏，乃可间也。今子曰中立，况固其谋也，彼有成矣，难以得间。’”

平郑之言，散势之术也，其法则之活用，多方进行，与鬼谷先生之言殆有极深切之关系。《鬼谷子》之言曰：

“夫散势者，心虚志溢。意［衰］[威失］勢，精神不专，其言外而多变。故观其志意，为［之］度数，乃以揣说图事，尽圆方，齐长短，无［间］则不［行］勢。散势者，待间而动，动［而］势分矣。”按宋本原文多讹误，凡[ ]者，均系考正文；□者，均系衍文，应删正。

以此文与《国语》相印证，《国语》称“多为之故，以变其志”者，即“为之度数，乃以揣说图事，尽圆方，齐长短”之义也；“志少疏乃可间”者，即“心虚志溢”之意也；“彼有成矣，难以得间”，即“无间则不行”之说也。由此观之，行间之法盖为散势的法则上之基本方法。孙子曰：

“用间有五：有因间，有内间，有反间，有死间，有生间。五间俱起，莫知其道，是谓神纪。”《用间》篇

孙子五间之术，盖为兵略运用必要之手段。其分类之明晰，剖释之精辟，直与鬼谷先生用间之法互相呼应。孙子又曰：

“事莫密于间。非圣智不能用间，非仁义不能使间，非微妙不能得间之实。微哉微哉！无所不用间也。”《用间》篇

此与《本经》之言“故善思间者，必内精五气，外视虚实，动而不失分散之实”《散势》篇其精神完全一致，可征兵略之运用纯粹为政略上之一部分，与权谋学之出

发点根本相同，而散势的法则亦为兵权谋共同思想之一，故其精神均集中于同一方面。孙子尝言曰：

> “故善战者，求之于势，不责于人，故能择人而任势。任势者，其战人也，如转木石。木石之性，安则静，危则动，方则止，圆则行。故善战人之势，如转圆石于千仞之山者，势也。”《兵势》篇

斯其义深切著明，唯其“求之于势”，故可以其危动而摇撼之，以其固而散分之，此则行间之术，而散势的法则之所由立也。

第七目　各项法则之相互的关系

总而言之，上述六项法则，在权谋学之方法论中，虽若分部别居，不相关涉，而在实际上之运用，则变化出奇，息息相关，无论时间之久暂、空间之隔阻、人事之变异，而其直接、间接之关系，殆无须臾之间可以丝毫分离者。故权谋学之方法论中所最应注意之一点，即各项法则之组合应用之复杂的关系是也。此种复杂组合关系，贯通于权谋学上之全体，其性质为一般的、普通的。无论权谋学上之方式如何变换，而其适用均以各项法则之相互的组合为必要，此则为治权谋学者所首当研审者也。

《鬼谷子》的说辞学原理

鬼谷先生说辞学之组织及理论最为精密，古今殆无其比。其学说之基础，建于其哲学思想及方法论之上，具详前章由是推演及于学说之全体，无处不表露其哲学方法之运用。严格论之，此种哲学的思想及方法实为说辞学上不可分之一部分。不过，《鬼谷子》之学固不只说辞学之一部，尚有权谋学之其他一部，亦同时应用。其同一之哲学思想及方法，故不得不因研究之方便上析而为二，盖非得已也。

《鬼谷子》书于说辞学上为专门的叙述者，有“捭阖”、“反应”、“内揵”、“飞箝”、“权”、“损兑”及“中经”，凡七篇，其他各篇则侧重权谋学方面，间亦有及于说辞学者。要之，《鬼谷子》书其泰半皆为说辞之学。说辞学之完成，独立成为一种专科，盖始于《鬼谷子》。此殆确定不疑之事实也。

说辞学之组织

《鬼谷子》说辞学之组织论理最严密，立说最精确，系统最分明。每一法则之确立，则以一篇阐其义，其篇名所示，即其法则上广义之名称也。法则一立，则在全书中随时阐发应用，与近代科学之组织无殊。周秦诸子中如此书组织之精密谨严者，殆罕其匹，谓非吾国往古精神科学上之绝作，不可得也。

大抵鬼谷先生说辞学之组织，由其哲学上之原理出发，以建立其各部分的法则，由其法则以论述其理法。其间虽亦有极重要之方法，同着一篇之中，而为篇名所掩而未及者，咸附于此项法则之下。鬼谷先生之组织此数项法则，常有其极精密之生理的、心理的、论理的基础，故其理论皆极精当不移，而其组织系统之上大别之可判为二部：一曰一般的原理，即生理、心理、论理上诸法则，《鬼谷子》哲学上之思想及方法也；一曰捭阖的原理，即论究说辞上之形式、实质之内容，及其适用上之法则者也。前者为普遍的，后者为特殊的；前者为基础的，后者为应用的。此其别也。

《鬼谷子》说辞学上之组织系统，兹详细分析其内容，约如下表：

鬼谷先生说辞学组织系统表

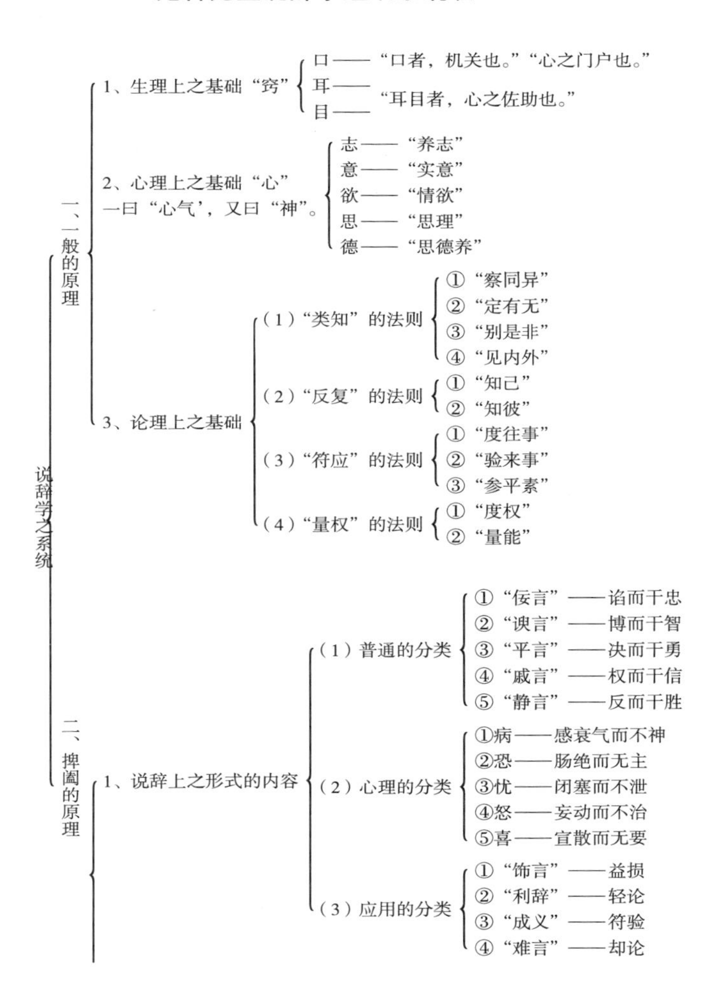

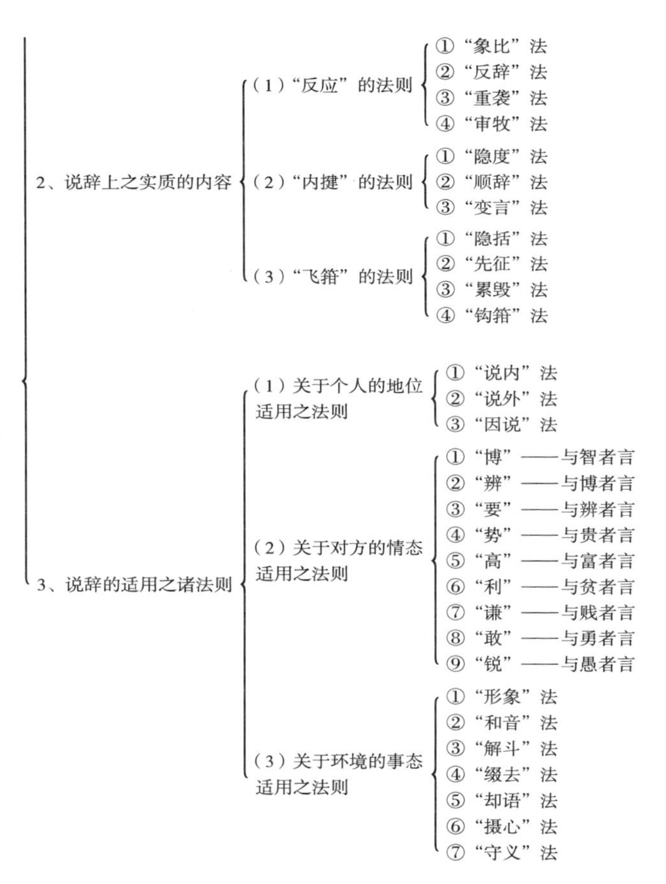
二、捭阖的原理
2、说辞上之实质的内容
（1）“反应”的法则
①“象比”法
②“反辞”法
③“重袭”法
④“审牧”法
（2）“内揵”的法则
①“隐度”法
②“顺辞”法
③“变言”法
（3）“飞箝”的法则
①“隐括”法
②“先征”法
③“累毁”法
④“钩箝”法
3、说辞的适用之诸法则
（1）关于个人的地位适用之法则
①“说内”法
②“说外”法
③“因说”法
（2）关于对方的情态适用之法则
①“博”——与智者言
②“辨”——与博者言
③“要”——与辨者言
④“势”——与贵者言
⑤“高”——与富者言
⑥“利”——与贫者言
⑦“谦”——与贱者言
⑧“敢”——与勇者言
⑨“锐”——与愚者言
（3）关于环境的事态适用之法则
①“形象”法
②“和音”法
③“解斗”法
④“缀去”法
⑤“却语”法
⑥“摄心”法
⑦“守义”法

上表所列（1）一般的原理上其生理上、心理上、论理上诸基础法则，其相互的关系与权谋学相同，实为说、权二学共同之基础，此不复述。（2）捭阖的原理上，说辞之形式的内容其普通的分类，则与孔门之言语学其组织上有极相密切之关系。虽其分类较为严密，不若孔子分类之广，要皆取材于孔门。如“佞言”，孔子所非，以为“焉用佞”者也，《鬼谷子》则曰“谄而干忠”；如“谀言”，孔子所恶，以为“巧言令色”者也，而《鬼谷子》则曰“博而干智”；如“平言”，孔子之誉史鱼以为直者也，而《鬼谷子》则曰“决而干勇”；如“戚言”，孔子所称为“邦有道，危言危行”者也，而《鬼谷子》则曰“权而干信”；如“静言”，孔子所谓“法语之言，改之为贵”者也，而《鬼谷子》则曰“反而干胜”。此其命名设辞间有异同，要其分类法之渊源本诸孔氏，殆无疑义。按《尧典》“静言庸违”，蔡沈《集传》“静则能言”、“用则违背”，“静言”之由来较古，《鬼谷子》之取义殆本于此，盖择胜义而从之者也。

次心理的分类，鬼谷先生别之为五，其言曰：

“曰病，曰恐，曰忧，曰怒，曰喜。病者，感衰气而不神也；恐者，肠绝而无主也；忧者，闭塞而不泄也；怒者，妄动而不治也；喜者，宣散而无要也。”《权》篇按诸《易·系辞传》之言曰：

> “将叛者其辞惭，中心疑者其辞枝。吉人之辞寡，躁人之辞多。诬善之人其辞游，失其守者其辞屈。”

此六辞者，五病之变也。叛者恐，故其辞惭；疑者忧，故其辞枝；躁者怒，故其辞多；诬善者病，故其辞游；失其守者宣散而无要，故其辞屈。鬼谷立辞之名主于性情，《易传》则注目于对方之事态，事实上虽无极大之分别，而鬼谷先生则为说辞学上之组织，故选择分类比较精严，不若《易传》之失于滥也。又按《大学传》言：“身有所忿懥，则不得其正；有所恐惧，则不得其正；有所好乐，则不得其正；有所忧患，则不得其正。”宋人以为《大学传》为曾子作，近代学者或多持疑义，要为汉初学者传述战国时孔门之学，殆无容疑。证以《中庸》“喜怒哀乐之未发谓之中，发而皆中节谓之和”之说，其言实互相发明，由此足征性情之学孔门固详乎言之者。《大学传》虽使即为汉人之书，然其作者述学态度之谨慎，固未悖于真也。观此可明以性情为基础之心理的分类法，比较上实为进步的。诚以语言学之组织，其心理上之要素盖居其半，苟由心理上出发，则其分类之基点易于齐一而精密也。

复次应用的分类。《鬼谷子》别之为四：一曰饰言，二曰利辞，三曰成义，四曰难言。凡兹四者，咸释其义。其言曰：

> “饰言者，假之也；假之者，益损也。应对者，利辞也；利辞者，轻论也。成义者，明之也；明之者，符验也。难言者，却论也；却论者，钓几也。”《权》篇

欲明此四义，当先明“说”的意义。《权》篇又曰：“说者，说之也；说之者，资之也。”所谓资之者，以其说资人也。“资者，取也”，“人之所藉也”，段玉裁《说文注》曰：“资者，人之所藉也。”《周礼注》曰：“资，取也。”《老子》曰：“善人者不善人之师，不善人者善人之资。”故由“说”之目的言，则所以资于人，使得其所凭籍以为用也。故说辞之用不惮多方以相晓，反覆以相难，终冀达其目的而后已。由此出分四类之义，自显而易明。按《韩诗外传》言：

> “夫繁文以相假，饰辞以相悖，数譬以相移，外人之身，使不得反其意，则论便然后害生也。”

韩婴传《诗》学，去战国未远，此故言语科之孑遗也。其言“繁文”者，“饰言”也；“饰辞”者，“利辞”

也；“数譬”者，“成义”也；“外人之身”者，“难言”也。四者陈义若一，与鬼谷之学若合符节，以《韩传》释四类，意显词豁，无遗义矣。

此外，说辞学上之实质的内容，及适用上诸法则，均由“捭阖”的原则演绎而生：“反应”的法则以求情理之真伪，“内揵”的法则以结人我之亲交，“飞箝”的法则以制事势之枢机，其他关于本身的地位、对方的情态及环境的事态上诸法则，则均以具体的、心理的、事实之理想为之基础，以分别诸类之人与事而为之说法，以为应用上之标准。凡此诸法则，具详下节说辞学之方法中，兹不多及。

由此以论《鬼谷子》说辞学之组织、系统及分类，其严密精详丝毫不减于今日之精神科学。古今政治思想家能具有此种条理者，未或多觏；政治上之纯理的研究精密至此，而后世竟湮没而不彰，斯真人类政治学术上之一阨也已。

说辞学之根本观念——捭阖的原理

说辞学上之根本观念，鬼谷先生名之曰“捭阖”，其言曰：

“捭阖者，天地之道……以变动阴阳，四时开闭，以化万物；纵横反出，反覆反忤，必由此矣。”按原文“天地之道”句下有“捭阖者”三字，系因前后文误衍，兹据曲园先生《古书疑义举例》五“涉上下文而衍例”删去。

“捭阖者，道之大化。……吉凶天命系焉。”以上《捭阖》篇。按原文“道之大化”句下有“说之变也，必豫审其变化”二语，此系错简，其义不可通，兹考正，详见拙著考正本。

“捭阖”的原理为说辞学全部之第一原理。故《鬼谷子》不惮为之详细解释，严立界说，以树其学术上组织之骨干，故其言曰：

“捭之者，开也，言也，阳也；阖之者，闭也，默也，阴也。阴阳其和，终始其义。故言长生、安乐、富贵、尊荣、荣显、名誉、爱好、财利、得意、喜欲，为阳，曰始。故言死亡、忧患、贫贱、苦辱、弃损、亡利、失意、有害、刑戮、诛罚，为阴，曰终。”《捭阖》篇

此其解释与界说，义至显明，由此而后“捭阖”之意义始赋有“阴阳”二性，而“阴阳”二字遂离开《易》学上之见解，完全为说辞学上之术语。故其言曰：“捭阖

之道，以阴阳试之。”即其义也。然依《鬼谷子》之哲学思想解释其所谓“道者，一其纪也”，《本经》道始于一，化而为二则曰“阴阳”，以“阴阳之开阖”《捭阖》篇观其法象之变化，以确立其根本之原则，此其思想之本源，与《易·系辞》所言“一阴一阳之谓道”理想意义完全一致。至其捭阖的意象，则取于易、老两家之学。《易·系辞传》曰：

> “夫坤，其静也翕，其动也辟，是以广生焉。”
>
> “阖户谓之坤，辟户谓之干，一闽一辟谓之变。”以上《易·系辞》

老聃亦曰：

> “天门开阖，能无雌乎？”今本《老子》第十章
>
> 按今本《老子》此言疑有讹误，考敦煌写本作“天门开阖而为雌”，曲园先生言：“唐《景龙碑》作‘天门开阖，能为雌’，其义并胜，当从之。”曲园先生之言是也。

其后《鬼谷子》所言“动静虚实之理”，《反应》篇“刚柔张弛”《捭阖》篇之道，亦全本于此。愈推演而愈广，愈变化而愈奇，则“奇正”、“离合”、“取予”、“出入”、

“益损”、“去就”、“倍反”、“高下”、“得失”、“进退”、“是非”、“重毁”、“亲疏”、“爱憎”等散见全书各篇之中者，凡其界说所未详及，皆由此原则推变应用而生。此种纯粹的二元论之组织异常坚密，毫无罅隙可寻，故《鬼谷子》再三郑重以释其义、立其说，非无故也。

第一目　名实

捭阖的原理之成立，有数种必备之要素。《鬼谷子》之言曰：

> “粤若稽古，圣人之在天地间也，观阴阳之开阖，以名命物。”《捭阖》篇
>
> “循名而为实，安而完；名实相生，反相为情。故曰名当则生于实，实生于理，理生于名实之德，德生于和，和生于当。”《符言》篇

命名者，说辞学上树辞立说不可不具之要素也。自孔子始倡正名之说，复传《春秋》之学，后之为学者遂以命名为第一要义。《左氏传》言“名以制义”，《易·系辞传》亦言“开而当名，辨物正言，断辞则备矣。其称名也小，其取类也大”。《申子》亦言“圣人贵名之正也，以其名听之，以其名视之，以其名命之”。又《韩非子》引《申子》

曰："名自正也，事自定也，是以有道者自名而正之，随事而定之也。"又《尸子·分篇》言"执一以静，令名自正，令事自定"。申不害、尸佼均与鬼谷子同时并世，《左传》、《易·系辞传》之成则略先《鬼谷子》。观此诸家学说，可征其时正名之学其在学术上之地位极为重要，后此遂开"别墨"之辩学，惠施、公孙龙辈之名学，庄周之无名论矣。此"捭阖"的原则之第一要素也。

第二目　同异

捭阖的原理之第二要素，厥名曰"同异"。盖名制既定，事义始彰，于是研究事理之法乃在于同异之"审察"。按《易·睽》象曰"万物睽而其事类同"，又象曰"上火下泽，睽；君子以同而异"。同异之察，盖始于《易》，王弼所谓"睽而知其类，异而知其通"，《明爻通变》篇此其解释意殆近是。至《鬼谷子》则曰：

> "开而示之者，同其情也；阖而闭之者，异其诚也。可与不可，审明其计谋，以原其同异。"《捭阖》篇
>
> "听真伪，知同异，得其情诈。"《反应》篇
>
> "立势制事，必先察同异之党，别是非之语。"《飞箝》篇
>
> "钩箝之语，其说辞也，乍同乍异。"《飞箝》篇

所谓同异者，推理作用之第一义也，在鬼谷先生哲学的方法论上名之曰“类”。“类”者，即以别同异之方法也。同其同者，异其异者，皆曰“类”，故鬼谷之知的法则始于“以类知”，终于以类行也。关于“类”的法则，详前章第二节《鬼谷子之心理的哲学》。凡政治上之事势，苟能察其同异之原则，其立辞说事必不致错迕而不入。由是而事理可明，“虚实”可见，“离合”可决，变化可知，“立势制事”之权可操于己，“同情异诚”之辞可说于人，此《捭阖》的原理之第二要素也。

第三目　先

捭阖的原理之第三要素，厥名曰“先”。“先”者，主治于未然者也。鬼谷先生学说之全体，力倡其“先”的学说，究其渊源，殆绍述孔子“先觉”、“先施”之遗说者也。故论述其说辞学之根本原理，此项“先”的要素尤不可忽。按老聃之学主于“后”，曰“不敢为天下先”；《鬼谷子》则不然，其书开宗明义即曰“为众生之先”，此其学说上根本不同之点也。大抵《鬼谷子》主先之学约可析为四类，依其程序如次：

（一）先察。如《飞箝》篇言“立势制事，必先察同异之党”之类是也。

（二）先知。如《忤合》篇言“是以圣人居天地之间……必因事物之会，观天时之宜，因知所多所少，以此先知之”，又《本经》言“将欲用之于人，必先知其养志”、“圣人之道，先知存亡，乃知转圆而从方”之类是也。

（三）先定。如《反应》篇言“动作言默，与此出入……皆以先定为之法则”，“己不先定，牧人不正。……已审先定，以牧人策，而无形容，莫见其门，是谓天神”之类是也。

（四）先为。如《捭阖》篇言“为众生之先”、“离合有守，先从其志”、“为万事之先”之类是也。

凡兹“先察”、“先知”、“先定”、“先为”四项程序，皆言于事之未然之前，而行其观察、认识、判断、实行之谓也。按之《孙子》十三篇所言：

“后人发，先人至。”《军争》篇

“先夺其所爱则听矣。”

“先其所爱，微与之期。”以上《九地》篇

“悬权而动，先知迂直之计者胜。”《军争》篇

“先知者，不可取于鬼神，不可象于事，不可验于度，必取于人之知敌之情者也。”

“凡军之所欲击……必先知其守将。”以上《用间》篇

可见两家学说上之观念完全相同。至《孟子》所言“先知”、“先觉”，意亦相合。不过《鬼谷子》之学完全在政治上着眼，其意味自有不同耳。总之，《鬼谷子》主先之学，要以“制事于机先”为其根本之原理。自此种学风大开，而后《荀子》则言“先虑之，早谋之”，《非相》篇韩非亦言“先物行、先理动之谓前识”。《解老》篇由此可见战国时代学风之扇播，其趋势固可知矣。此“捭阖”的原理之第三要素也。

第四目　变

捭阖的原理之第四要素，厥名曰“变”。变化之学，本于《周易》。《易·系辞传》曰“一阖一辟之谓变”，“化而裁之谓之变”，“刚柔相推而生变化”，“拟之而后言，议之而后动，拟议以成其变化”。变者，动也，动而化随之，故《鬼谷子》曰：

“捭阖者，天地之道……以变动阴阳，四时开闭以化万物。”

至变而化之，则阴阳互用、动静相生，“阳还终阴，阴极反阳”。《捭阖》篇其道无穷，要视其所“御”者何如以为之制而已，故《鬼谷子》曰：

“变化无穷，各有所归，或阴或阳，或柔或刚，或开或闭，或弛或张。”

“益损、去就、倍反，皆以阴阳御其事。”《捭阖》篇

此言捭阖的法则，其变化之用无穷也。

然变化有“眹”，要在“先”“见”，故《鬼谷子》曰：

“知存亡之门户，筹策万类之终始，达人心之理，见变化之眹焉。”

“说之变也，必豫审其变化。”以上《捭阖》篇

此则以“先”御“变”之学说也。

顾“变”的方法，事原人为，其应用于捭阖的原理之上者，有二：

（一）变象比。《鬼谷子》曰：

“其不言无比，乃为之变，以象动之，以报其心。”

“古善反听者，乃变鬼神以得其情，其变当也，

而牧之审也……变象比，必有反辞，以还听之。”以上《反应》篇

此论立言之术有时而穷，必变其象比，然后得其情实也。

（二）变言说。《鬼谷子》曰：

“夫内有不合者，不可施行也。乃揣切时宜，从便所为，以求其变。以变求内者，若管取揵。言往者，先顺辞也；说来者，以变言也。善变者审知地势，乃通于天，以化四时，使鬼神，合于阴阳。”《内揵》篇

此言说人之策有不合，则违事失人，不免乖戾，故必变其说、顺其辞也。

凡此变的学说，皆以阐明致用于“捭阖”的原理之上者也，此“捭阖”的原理之第四要素也。

第五目　微

捭阖的原理之第五要素，厥名曰“微”。“微”者，危微之学也，其说本出于易、道两家。《易·系辞传》曰：

“几者动之微，吉凶之先见者也。”

又《荀子》引《道经》曰：

“人心之危，道心之微。”《解蔽》篇

按伪《古文尚书》有“人心惟危，道心惟微”句，疑汉人本《荀子》引《道经》语，伪作，故不具引。

此其说亦见称于《孙子》，《孙子》曰：

“微乎微乎，至于无形；神乎神乎，至于无声，故能为敌之司命。”《虚实》篇

按《通典》作“微乎微微，至于无形；神乎神神，至于无声”；《御览》作“微乎微乎，故能隐于常形；神乎神乎，故能为敌之司命”。

至《鬼谷子》则曰：

“即欲捭之，贵周；即欲阖之，贵密。周密之贵微，而与道相追。”《捭阖》篇

鬼谷先生以“周”、“密”释“微”之用，至其体则

曰“与道相追”，盖本之《道经》之遗说也。危微之学，亘于《鬼谷子》全部学说之中，并为政略学之中心学说，此“捭阖”的原理之第五要素也。

具兹五项要素，而后捭阖的原理乃克成立，由是而其原理之演化始具有极重要之意义。由其适用之对象与范围之不同，而捭阖之道、变化之方各有不同，故《鬼谷子》曰“故捭者，或捭而出之，或捭而纳之；阖者，或阖而取之，或阖而去之”，斯即其义也。此说辞学上之根本观念也。

说辞学之实质的方法

《鬼谷子》说辞学之方法，为说辞学上主要的部分，约可析之为二部：第一部为说辞的实质上之法则，第二部为说辞的适用上之法则。兹分论其实质的方法如次。

第一目　反应的法则

据前章第三节《鬼谷子之经验的哲学》所述，反覆的法则为《鬼谷子》论理上之普遍的方法，其在说辞学上则曰“反应”。“反应”的法则者，盖由反复之论理的方法变易其见地而言者也，故于反覆之外，研究事理之方不得不求对方之“应”验，以为复核事理之必要的方法，不如此则真理不明、误会滋多也。盖反覆者，求之于己；反应者，并验之于人。有诸己，更求诸人，则事理之确凿与否始可判明无疑也。故《反应》篇曰：

“言有不合者，反而求之，其应必出。”

此“反应的法则”之原理也。按今本《老子》曰“反者道之动”，四十章又曰“万物并作，吾以观复”，十六章此其文并简古韵、依古声，殆老子原始学说之一部分也。《鬼谷子》“反覆”的法则之确立，及“反应”的法则之演化，其受老子学说之影响观此可见。又按《韩非子·扬权》篇曰：“凡听之道，以其所出，反以为之入。……彼自离之，吾因以知之。”此则直释《鬼谷子》之言，无复余义。此外，《淮南子·汜论训》言：

“圣人者，能阴能阳，能弱能强，随时而动静，因资而立功，物动而知其反，事萌而察其变，化则为之象，运则为之应，是以终身行之而无所困。”

《淮南子》书成虽在汉世，其书杂纂百家言，述学明理要为近真，此论为战国政略家之遗教，其论《反应》，义至明了，亦可为鬼谷《反应篇》作一注脚。其后徐幹

《中论》言：

> “反之覆之，钻之核之，然后彼之所怀者竭。”

此则并“反复”而言者也。其言“钻之核之”，亦钻核其应验于事实者如何之旨也。徐氏达识，盖亦深于《鬼谷子》之学者，观此数家之言，“反应”之法则的理论可以大明矣。

由是进求其“反应”的法则上说辞之应用，鬼谷别为四个阶段，曰“象比”、曰“反辞”、曰“重袭”、曰“审牧”。兹分析论述之如次。

（一）象比法。《反应》篇曰：“言有象，事有比。其有象比，以观其次。象者象其事，比者比其辞也。以无形求有声，其钓语合事，得人实也。……己反往，彼覆来，言有象比，因而定基。”

又曰：“欲开情者，象而比之，以牧其辞。”其所谓“象”者，盖取于《易》象，《易·系辞》曰“象者，像也”，又曰：“夫象，圣人有以见天下之赜，而拟诸形容，象其物宜，是故谓之象。”其所谓“比”者，亦见于《易》。《易》曰“比，辅也”，《易》彖引伸其义则例也、类也。象比之法引用于“反应”的法则上，为一切说辞上之轨范，凡理之所及，象事比辞、取类索形，多张其辞以为之网，此象比之法其第一阶段也。

按《管子·七法》曰："义也、名也、时也、似也、类也、比也、状也，谓之象。"《管子》书非一时一人之笔，其书之成，盖在战国中世之后。据此言，是比亦象也。其释"象"的意义，含义甚广，断在鬼谷之后。以其义混，故不具引。

（二）反辞法。《反应》篇又曰："其不言无比，乃为之变……古善反听者，乃变鬼神以得其情。其变当也，而牧之审也。……变象比，必有反辞，以还听之。""反辞"者，变象比之辞也。变的要义详见本章第一节第四目，象比之正则宜获对方之"反应"，然或有例外，"其不言无比"者，则不能不为之变其象比以复求之，是曰"反辞"。按《韩非子》言：

"倒言反事以尝所疑，则奸情得。"《内储》

韩非此言盖指特殊的事态之下之"反辞"的应用而言，非通例也。然韩非固私淑鬼谷之学者也，此其说亦足以资鬼谷子"反辞"法之例证矣。此反辞之法其第二阶段也。

（三）重袭法。《反应》篇又曰："重之袭之，反之覆之，万事不失其辞。"重袭者，言象比与反辞之应用，宜于多方重袭其方式，并变换其方法，或反或覆，务求详审，不悖事情之谓也。此重袭之法其第三阶段也。

（四）审牧法。《捭阖》篇曰："夫贤不肖、智愚、勇怯有差，乃可捭，乃可阖，……无为以牧之。"《反应》篇曰："以象动之，以报其心，见其情，随而牧之……古善反听者，乃变鬼神以得其情，其变当也，而牧之审也。牧之不审，得情不明；得情不明，定基不审。……欲开情者，象而比之，以牧其辞。"又《反应》篇曰："己不先定，牧人不正。……己审先定，以牧人策，而无形容，莫见其门，是谓天神。"审牧者，心理上操治之术也，其主体在于"无为"。"无为"者，"致虚静"者也。唯其"虚静"，故能详审正理、因事制宜，"以牧人策，而无形容"，此鬼谷学术之本旨也。按《吕氏春秋》言：

> "按真实而审其名，以求其情；听其言而察其类，无使放悖。"《审分》篇

吕氏斯言，虽未能尽阐鬼谷之说，然其意犹是也。此审牧之法其第四阶段也。

具此四阶段，而后"反应"的法则以立。

第二目　内揵的法则

许氏《说文》"揵，举也"，段玉裁《注》曰："《上林

赋》、《毛诗笺》、《汉书音义》、《通俗文》皆作揵，揵即此擧篆也’字从手、举，会意。邱言切，十四部。”又《玉篇》列字次第“择下扬上，作擧，邱言切，举也”，此“揵”之本字本义也。至《内揵》篇陶弘景注曰：“揵者，持之令固也”，陶注释义当是本《说文》“掔，固也”之义。《段注》曰“掔之言坚也、紧也，谓手持之固也。苦闲切，十四部。”“揵”、“掔”二字音近部同，疑古相通借，陶注特释其一，非通义也。又按《内揵》篇之言曰：

“以变求内者，若管取揵。”

又曰：

“此用，可出可入，可揵可开。”

此其所言之“揵”字，均当作“键”。《周礼》“司门掌授管、键，以启闭国门”，诸经多借“键”为“揵”，而《周礼·司门》作“管蹇”，郑元云“蹇，读为键”，即此键字也。《说文》“键，铉也”，《段注》曰：“谓鼎扃也，以木横关鼎耳而举之……故谓之关键。渠偃切，十四部。”又《说文》：“铉，所以举鼎也。”是“揵”、“键”二字皆含有举的意义，此陶注所略而未及者也。余故谓《内揵》篇之“揵”字原文均当作“键”,“键”、“楗”、“揵”、篆作“擗”“掔”四字均以声近部同,古相通借,故其义引伸而滋多,不足异也。由是言之,“内揵”的法则其意义乃可得论。《鬼谷子》曰:

> “内者,进说辞;揵者,揵所谋也。”《内揵》篇

此内揵的法则之界说也。换言之,即谓举其所谋以进其说辞之谓也,此其说辞之实质的内容,厥为内揵的谋略,非本节范围所及。详见下章兹论其说辞之形式的法则上之内容,其阶段有三:

(一)隐度法。《内揵》篇曰:“凡说者务隐度,计事者务循顺。阴虑可否,明言得失,此御其志。”“隐度”者,隐度其事之中理而后说也,此说辞学上“内揵”的法则之心理的基础也。按《吕氏春秋》之言曰:“凡君子之说也,非苟辩也……必中理而后说也。”《怀宠》篇又曰:“善说者,言尽理而得失利害定。”《开春》篇皆此义也。

(二)顺辞法。《内揵》篇又曰:“言往者,先顺辞也。”顺辞者,内揵的法则上所以进说辞之第二种步骤也。上文引“计事者,务循顺”,循顺以为辞,则其辞必不见非逆而易入矣。然何以曰先耶?《内揵》篇又曰:“先取《诗》、《书》,混说损益,议论去就。”此之谓先

顺辞也。

（三）变言法。《内揵》篇又曰："说来者，以变言也。"变言者，于事之未然，先究其时之所宜以求其变，而后说者也，说详本章第一节第四目故由内揵的法则上言，此为第三种步骤。由是进行"以变求内"，则其事始集，而"内揵"的法则以立。

第三目 飞箝的法则

说辞之应用，以内揵的法则为经，以飞箝的法则为纬。内揵的法则的适用，常与飞箝的法则互相结合，而不可分离。大抵说辞上之工作，其第一部以内揵的法则任之，而完成工作之第二部则为飞箝的法则之适用。其间恒相接合、各尽其用，故在说辞学上论，虽可析而为二，而应用上则二者之关系致相密接、无可分也。必明乎此义，而后知"飞箝"的法则在说辞学上关系之重要。

按飞箝的意义，许氏《说文》曰"飞，鸟翥也"，"翥，飞举也"，《方言》亦曰："翥，举也。""箝，籋也"，"籋，箝也"。《段注》曰："箝，胁持也，以竹胁持之曰箝，以铁有所劫束曰钳，书史多通用。"又曰："箝、籋二字双声，夹取之器曰籋。"由是释之，是飞举而胁持之谓也。又按《意林》录《六韬》曰："辩言巧辞，善毁善誉者，名之曰间谍飞言之士。"《意林》书本之六朝旧本，此虽未可证其为《汉志》《六韬》之原本，要之，非唐代以后之《六韬》伪本无疑。今本《六韬》文中间多古词奥义，断为战国时代遗说，为后世纂取成文，故或披沙简金，不无所得也。兹《意林》所引"间谍飞言"之说，当即战国遗说，以与《鬼谷子》参证，则"飞箝"之意义自可大明。陶弘景注谓"飞谓作声誉以飞扬之"，其说非也。由是论之，"飞箝"的法则云者，谓飞举其言以箝束之之谓也。《鬼谷子》于此项法则之内容，别其阶段为四：

（一）隐括法。隐括法之前题建于论理学之上，其基础则为前章所述之量权的法则。以量权的法则实施之结果，其在说辞学之飞箝的法则上，名之曰"隐括"。此与《内揵》的法则上之"隐度"有同一之心理的推度作用，不过"隐度"法稍形简单，而"隐括"法则较复杂。犹之推理作用，则"隐度"者应用其一个方式以行断定，而"隐括"者则应用数个方式以行其复杂之推断，此其异也。大抵"隐括"法可谓之为归纳的方法，故其程限以不抵触事实为其必要的条件，故《飞箝》篇曰：

"凡度权量能，所以征远来近。立势制事，必先察同异之党，别是非之语，见内外之辞，知有无之数，决安危之计，定亲疏之事，然后乃权量之。其

有隐括，乃可征，乃可求，乃可用。”《飞箝》篇

此飞箝的法则上之第一阶段也。

（二）先征法。先征法者，说辞上之证验作用也。《飞箝》篇曰：

“其不可善者，或先征之，而后重累。”

陶注释以为“征召”之义，误也。按《论语》曰：“夏礼，吾能言之，杞不足征也；殷礼，吾能言之，宋不足征也。”又《中庸》曰：“上焉者，虽善无征。无征不信。”以征为信，此鬼谷之说所由本也。“飞箝”的法则上以征验之辞为先，以求其辞之人人而信之也，此其第二阶段也。

（三）累毁法。《飞箝》篇曰：“或先重累而后毁之，或以重累为毁，或以毁为重累。”《飞箝》篇。此段接上文（二）先征法所引之言。“累毁”法者，“飞箝”的法则上最晦涩而最扼要之部份也。

按《说文》曰“重，厚也”，《段注》曰：“厚斯重矣，引伸之，为郑重重叠，古只平声，无去声。”又《荀子》杨倞注曰：“重色、重味，言重多也。直用反。”又《说文》曰：“絫，增也。一曰絫，十黍之重也。”《段注》曰：

“增者，益也，凡增益谓之积絫。絫，隶作累，累行而絫废，古书时见絫字。”此重累之本字、本义也。

又《战国策》引语曰“论不修心，议不累物”，又曰“辍而弃之，怨而累之”。又刘向《说苑》曰：“天将与之，必先苦之；天将毁之，必先累之。”“毁”与“累”对举，此亦战国时代之言，而刘向引用之者也。凡此所引之累字，其古义均宜释作“解”字之义。按曲园先生《古书疑义举例》曰：“《礼记·曲礼》篇‘为大夫累之’，按累之，犹解之，累、解本叠韵字。《荀子·富国》篇‘则和调累解’，累、解二字同义……缓言之曰累解，急言之曰累。”曲园之言是也，此则“累”字之变义也。由此以言“重累”者，多方为之解释之义也。陶注释之以为“都状其材术所有”，《飞箝》篇注其说殊未安，此特陶氏以己意释之而已，非古训也。

至“毁”的意义，《说文》曰“毁，缺也”，《段注》曰：“缺者，器破也，因为凡破之称。”是所谓毁者，举其缺失而言之谓也，陶注释之以为“就其材术短者訾毁之”，意近是矣。古义既明，请论其法。

累毁法者，说辞上之积极的方式也，此为飞箝的法则上之主要的方法。其方式之运用恒随事态为变迁，要以活用为原则。盖苟遇有个性强固而城府深密之对手，即鬼谷所谓“其不可善者”，则其方式之活用直如岳武穆所谓“运用之妙，存乎一心”，此固不可以言传者也。然其变化之用，简言之有三：（1）先征实其言，而后多方为之解释，所谓“先征之而后重累”也；（2）或先于多方为之解释，而后举其缺失，所谓“或先重累而后毁之”也；（3）或即于多方解释之中备论其缺失，或随于举其缺失之时即为之多方解释，所谓“或以重累为毁，或以毁为重累”也。凡兹三者，以用为变，此其第三阶段也。

（四）钩箝法。《飞箝》篇曰：“钩箝之语，其说辞也，乍同乍异。”钩箝法者，即捭阖的原理之演用于说辞学上而赋以专名者也。其所谓“乍同乍异”者，即前第一节所引“开而示之者，同其情也；阖而闭之者，异其诚也”。其义相同，由性质上言，是曰“捭阖”；由运用上言，斯曰“钩箝”。说详第一节此其第四阶段也。

综兹四法，是曰飞箝。此犹在说辞学上言之耳，至其实质内容，则亦以权谋学为经，说详下章，兹不具论。

说辞学之适用的方法

第一目　关于个人的地位关系适用之法则

说辞之施，以个人的本身之地位不同，而其适用之方法遂以悬殊，此其地位之自觉，须有主观之直觉的判断为衡，此中有甚深微妙之关系，须凭主观上最高点之观察，而后始能悟解者。换言之，即非老谋深算、高瞻远瞩者，不能于其本身的地位有超然之自觉，则其说辞之内容自不能有适当之规定也。兹请分论关于本身的地位适用之方法如次。

（一）说内法。《谋》篇之言曰“外亲而内疏者，说内……”此“说内”法之定义也。“说内”法者，言度其本身所处之地位、与对方之关系，如关系未深而身处近密，外虽亲善内实疏远者，则为之说其内也。虽然，何法以说其内乎？《内揵》篇曰“以变求内，若管取揵”，此所谓“变”，即以“说内”者也。然何以须说内乎？《内揵》篇又曰“近而疏者，志不合也”，唯其不合于志，故须求内，故又曰“欲合者用内”，此即所以求其合也。由是更进而求之“内揵”的法则，则“揵而内合”《内揵篇》之法行，而“说内”之义益显矣。若其不然，苟从其反面言，则如《谋》篇所谓“其身内，而言外者，疏”矣。此谓其言之“外”与其本身的地位之“内”不能适应其关系也。换言之，即在此种场合宜行“说内”之法，而乃“说外”，则必见疏远也。是即《淮南子》所谓“物或近之而远”，《人间训》即此义也。此说内之法一也。

（二）说外法。《谋》篇又曰“内亲而外疏者，说外……”，此“说外”法之定义也。“说外”法者，言度其本身所处之地位、与对方之关系，如关系既深，而“周泽未渥”，《韩非子》语内实亲善外示疏远者，则为之说其外也。虽然，何法以说其外乎？《内揵》篇曰“内自得而外不留者，说而飞之”，此所谓“说而飞之”，即谓以飞言箝束之，是即以“说外”者也。然何以须说外乎？《内揵》篇又曰“远而亲者，有阴德也”，顾虽有阴德而不见用者，则亦《内揵》篇所谓“就而不用者，策不得也”。策既不得，则更当求其外，故又曰“欲去者用外”。外者，远也，许氏《说文》是即所以“说外”者也。由是更进而求之“飞箝”的法则，“度权量能……征远来近”，《飞箝》篇则“说外”之义明矣。若其不然，苟从反面言，则如《谋》篇所谓“其身外，其言深者，危”矣。此亦谓其言之“深”与其本身所处之地位相连，在此场合当行“说外”之法而不行，故必致身危也。是即《淮南子》所谓“说听计当而身疏”《人间训》者，亦斯义也。此“说外”之法二也。

（三）因说法。《权》篇之言曰：“因其疑以变之，因其见以然之，因其说以要之”，此“因说”之法也。“因”的意义谓“循理”也，《符言》曰“圣人因之，故能掌之；因之循理，故能久长”，此之谓也。按《吕氏春秋》言：

> “善说者……因人之力以自为力，因其来而与来，因其往而与往，不设形象，与生俱长，……顺

风而呼，声不加疾也；际高而望，目不加明也。所因便也。”《顺说》篇

吕氏此说，其释因说之法，陈义显明，无待烦言。由是观之，战国说辞学上因说法之重要即此可见矣。此因说之法三也。

按《慎子》书文多驳杂，近代学者疑为杂录所成，殆近是。其书言“天道因为大……因者，因人之情也，用人之自为，不用人之为我，则莫不可得而用矣”，此其释因的意义与《吕氏春秋》若合符节。又按《鹖冠子》书近人多疑其伪作，然其书中颇多古词奥义，或系先秦遗文为伪作者篡取以实其伪书，亦在意中。其《学问》篇言“见变而命之，因其所为而定之，若心无形，灵辞虽搏捆，不知所之”，此节完全为纵横家言，断非汉代以后所能伪作，此其义直绍鬼谷，可为鬼谷因说法作一注脚。

以上三法各有其特定之场合以为展用之条件，苟或错误，则其事不立。此关于个人的地位、关系，适用之法则一也。

第二目　关于对方的情态适用之法则

关于对方的情态适用之法则，以对方的情态之异状而各具有特殊的方法。《鬼谷子》尝具体言之，曰：

> “与智者言，依于博；与博者言，依于辨；与辨者言，依于要；与贵者言，依于势；与富者言，依于高；与贫者言，依于利；与贱者言，依于谦；与勇者言，依于敢；与‘愚’者言，依于锐。”《权》篇
>
> 按“愚”字，原文作“过”，依《邓析子》作“愚”，“过"字误也。别本作“通”'，秦恩复注谓当作“进”，“进”字于义亦未安，故依《邓析子》改正。

凡此九法，皆以对方之情态不同而立言，其法则亦因之而异。兹分析论之如次。

（一）曰“博”。博者，“繁称文辞”之谓也，盖“与智者言，将此以明之也”。均见《权》篇其言“繁言而不乱”，《权》篇亦此义也。是即《韩诗外传》所谓“繁文以相假”也。

（二）曰“辨”。辨者，别也。徐幹《中论》言“辨之为言别也’为其善分别事类而明处之也”，又曰“辨之言，必约以至，不烦而论……使论者各尽得其愿而与之得解”，《覈辩》篇即此义也。

（三）曰“要”。要者，要言不烦之谓也。鬼谷所谓“终日言，不失其类”，类者，辞之要理也，故亦曰“观要得理”均见《权》篇也。又《礼记》引孔子曰“君子不以辞尽人”，《表记》亦谓得辞之要也。

（四）曰“势”。势者，形势也，即《本经》所谓“势者，利害之决，权变之威”也。《孙子》有言曰“势者，因利而制权也”，《计》篇此其义亦即《飞箝》所言“立势制事”也。荀悦《汉纪》言“言形，则大体得失之数备；言势，则临时进退之机审”，是其义也。

（五）曰“高”。高者，名高也，言其崇也。见《说文》富者，啬于财而慕高名，故以高辞动之也，此《谋》篇所谓“高而动之”也。按“高”字《邓析子》文作“豪”，秦恩复注以“从邓析子作‘豪’为是”，非也。

（六）曰“利”。利者，财利也，即《谋》篇所谓“仁人轻货，不可诱以利”之利也。《权》篇亦曰“利辞者，轻论也”，“利辞”之义即谓言利之辞也。

（七）曰“谦”。谦者，撝谦也，《易》之卦辞也。案《邓析子》无此言，疑为战国时附衍之词。

（八）曰“敢”。敢者，果敢也，果决也，“几危之决”也。《本经谋篇》所谓“勇士轻难，不可惧以患，可使据危”，此与勇者言之法也。

（九）曰“锐”。锐者，芒也，见《说文》锋芒之利也。

愚者短于智术，闇于事理，故必以锋芒犀利之辞进，此《权》篇所谓“与不智者言，将此以教之而甚难为”者也。

九法之变，存乎其人。审而后进，度而后言，符而后应，庶其无悖。

第三目　关于环境的事态适用之法则

关于环境的事态适用之法则，具见《中经》，盖以环境的事态之适应为原则者也。《中经》之词甚详晰，无俟繁释，兹言其要点如次。

（一）形象法。《中经》所谓“见形为容，象体为貌”，即形象法之定义也。《荀子》曰“色从然后可与言道之致”，“色从”者，即形象之先见者也。《淮南子》曰“说之所不至者，容貌至焉”。《缪称训》又徐幹《中论》引孔子曰“唯君子，然后贵其言、贵其色”，均此义也。惟《中经》此节文有脱误，颇滋异论，兹考正其言如次。《鬼谷子》曰：

> “有守之人，目不视非，耳不听邪，言必《诗》、《书》，行不僻淫，以道为形，以听为容，貌庄色温，不可象貌而得也。如是隐情塞隙[微]而[去]之。”

按本文末句原作“而去之”，疑有脱误。《摩篇》言：

“微摩之以其所欲，测而探之，内符必应。其应也，必有为之。故‘微’而去之，是谓塞窌匿端、隐貌逃情，而人不知，故能成其事而无患。”据此，则本文脱“微”字，故补正。又按刘向《说苑》言：“是以贤人闭其智，塞其能，待得其人然后合，故言无不听，行无见疑。”刘向所谓“闭智塞能”，即“隐情塞隙”也，盖待其人然后合也。刘向《说苑》曾引《鬼谷子》之言，今本《鬼谷子》无此文，见逸文所引。向此说盖亦本之《鬼谷子》可知。按《说苑》曰：“文信侯李斯，天下所谓贤者也，为国计揣微测隐，所谓躬无过策者也。”其言“揣微测隐”，亦本之《鬼谷子·揣篇》所谓“测隐揣情”者，此又其一证也。尝疑“去”字为“待”字之误，此亦一说也。至其所谓“微”者，即前文所引“微摩之以其所欲”也。清儒卢文弨《跋鬼谷子》丑诋此文，以为“有守之人，非辩士所能撼”，则何解于《忤合》篇之言乎？《忤合》篇曰：“伊尹五就汤，五就桀，而不能有所明，然后合于汤；吕尚三就文王，三入殷，而不能有所明，然后合于文王。”此即“微而待之”之义也。卢说狂谬，不足论也。

（二）和音法。和音者，“闻声和音”也，谓“声气不同，则恩爱不接”也。故声以“宫”为主，以“和”为贵，“音不和则悲”，“声散伤丑害”，其“言必逆于耳也”。均见《中经》

（三）解斗法。解斗者，“解仇斗隙”也，“谓解羸微之仇。斗隙者，斗强也”。此谓“强隙既斗，称胜者高其功，盛其势；弱者哀其负，伤其卑，污其名，耻其宗。故胜者斗其功势，苟进而不知退；弱者闻哀其负，见其伤，则强大力倍死而[为]是也”。文见《中经》，“为”字据注增。

（四）缀去法。缀去者，谓“缀己之繋言，使有余思也”。《中经》“繋”当作“系”，六朝以后假“繋”为“系”。“系者，县也”，见《说文》“垂统于上而承于下也”，《段注》引申为凡总持之称，谓以系言缀其人之去，使其留思也。《中经》此文多讹误难读，兹考正其文曰：

> “故接贞信者，称其行，厉其志，言回原文有可字，误。为可复，会之期〔可〕，〔善〕一本作“喜”，接上句读，误。以他人之庶引验，以结往明疑，疑宋《道藏》本作“疑疑”，秦恩复校本作“款款”，疑秦校本系因注而误。而去之。”

案《论语》言“信近于义，言可复也”，此可复之义也。本文“言可为可复会之期喜”，字句错乱，殊不成义，曲园先生《古书疑义举例》“字句错乱例”引《大戴记·小辨》等“礼乐而力忠信其君其习可乎”，谓当作“君其习礼乐而力忠信，其可乎”，此例是也。本文错乱，句读亦误，兹并考正。又按《说文》有两“疑”字，一作“疑”，训惑也，此“结往明疑”之“疑”也；一作“𠤕”，训定也，如《诗·大雅》“靡所止疑，云何徂往”，《庄子》“用志不分，乃疑于神”，此“疑”字均作定解，盖含有安静之义，此“𠤕而去之”之“𠤕”也，此一解也。又按《荀子·非十二子》篇曰“信信，信也；疑疑，亦信也”，此“疑疑”之义也。或疑本文当作“以结往明[疑]，疑疑而去之”，文中原有三个“疑”字，脱去其一，此亦合于曲园先生字因两句相连而误脱之例，说亦可通，此二解也。至陶注“明己疑疑至诚”，秦校为“款款”，即据以校正本文，说似可通。然“款”篆作“款”，与“𠤕”字形似易误，且依秦校，本文文义亦殊未安也。

（五）却语法。“却语者，察伺短也”，即《权》篇所谓“难言者，却论也；却论者，钓几也”。钓者，求也；几者，微也，谓求察其隐微也，此其义完全相同。至论其法则，曰：“言多必有数短之处，识其短验之，动以忌讳，示以时禁，[无见己之所不能于多方之人]，此文原系末句，盖错简也，兹考正。其人因以怀惧，然后结信以安其心，收语盖藏而却之。”斯其术也。

（六）摄心法。摄心者，结人之心也。《内揵》篇所谓“素结本始”，《谋》篇所谓“结比而无隙”者是也。

此其法曰“逢好学伎术者，则为之称远方，原文“方”字作接下句读，误也，兹考正。验之以道，惊以奇怪，人系其心于己。效之于人，验[之于往，复]乱其前，吾归诚于[彼]。”此节文有讹夺，原文作“验去乱其前”，语不成义，末句“吾归诚于己”，尤不可通，兹据陶注文增补改正。此其术也。

（七）守义法。“守义者，谓守以[仁]原文作“人”字，误也。义，探心在内以合者也。”此其法曰探心，《鬼谷子》曰：“探心，深得其主也。从外制内，事有系由而随之也。[遭淫酒色者，为之术音乐，动之以为必死生日少之忧。喜以自所不见之事，终以可观澜漫之命，使有后会。]”本文错简，置于“摄心”节下，误也，兹考正。其言“遭淫酒色者，为之术音乐，动之以为必死生日少之忧”，此所谓守以仁义，探心以合者也。义者，宜也，随其宜而制之，系而随之，所谓“喜以自所不见之事……使有后会”也。明言“后会”，则为不合而去者言也。

凡兹七法，始于形象，终于守义，盖以仁义自守，此鬼谷绍孔氏之学之显证也。故其结论曰：“小人比人，则左道而用之，至能败家夺国。非贤智，不能守家以义，守国以道。”此固昌言其学之以道义为主体，而说辞为用也。卢抱经之论无的放矢，适征其浅识已耳。

结　论

以上各章所论，鬼谷先生政略的哲学之思想概见于此矣。

据史策所记，《揣》、《摩》二篇为苏秦简练所得，详见本篇第二章《鬼谷子真伪考》其为苏子创作甚明。此为权谋学上极重要之部分，吾故列之于组织系统之下；又以其为纯粹苏子所创，故详述于编下，兹不具论。

次《符言》一篇，其体裁、文气均与全书各篇不类，显为《阴符》原文，而苏子摘其要言，附之于篇者。陶宏景注以谓“发言必验，有若符契，故曰符言”，非也。故《管子·九守》篇所述主位、主明、主听、主赏、主问、主因、主周、主参、督名各节，均与《鬼谷子·符言》篇章次大致从同。至文字间有异同，要为辗转传授及传钞之广而致歧异者，断断无疑。余尝疑齐史记所载《太公阴符》之言，而为战国末时人录以入《管子》，故其言多有同者。鬼谷尝为齐客，苏秦亦仕终于齐，齐人之学类宗太公，故谓《符言》为《阴符》之言，殆可信也。又考《管子·势》篇之言，其与《符言》相应者如次：

《管子·势》篇文	《鬼谷子·符言》篇文
“安徐正静。” “其所处者柔。安静乐行，德而不争，以待天下之溃作也。”尹注：溃，动乱也。	“安徐正静，其被节无不肉。善与而不静，虚心平意以待倾损。”
“善周者，明不能见也。”	“人主不可不周。人主不周，则群臣生私。”
“善明者，周不能蔽也。”	“明知千里之外，隐微之中，是谓洞天下奸。”

又按宋钞本《六弢》文中与《符言》篇有极相同者，兹并列于次：

《六弢》文	《鬼谷子·符言》篇文
“安徐而静，柔节先定，善与而不争，虚心平志，待物以正。”《大礼》篇 按《管子·九守》亦作“柔节先定”，与《六弢》同。	“安徐正静，其被节无不肉。善与而不静，虚心平意以待倾损。”

“目贵明，耳贵聪，心贵智。以天下之目视者，则无不见也；以天下之耳听者，则无不闻也；以天下之心虑者，则无不智也；辐凑并进，则明不蔽矣。”《文礼》篇	“目贵明，耳贵聪，心贵智。以天下之目视者，则无不见；以天下之耳听者，则无不闻；以天下之心虑者，则无不智；辐凑并进，则明不可塞。”
“勿妄而许，勿逆而拒。许之则失守，拒之则闭塞。高山仰之，不可极也；深渊度之，不可测也。神明之德，正静其极。”《文礼》篇	“德之术曰勿坚而拒之，许之则防守，拒之则闭塞。高山仰之可极，深渊度之可测，神明之[德]按原文作“位”，误，兹改正。正静，其莫之极。”
“凡用赏者贵信，用罚者贵必。赏信罚必于耳目之所闻见，则所不闻见者莫不阴化矣。诚畅于天地，通于神明，而况于人乎！”《赏罚》篇	“用赏贵信，用刑贵正。赏赐贵信，必验于耳目之所见闻，其所不见闻者，莫不闇化矣。”

或疑《六弢》为伪书，《六弢》信伪，其非《汉志》之旧无疑。然其文中多与《鬼谷子·符言》、《管子·九守》各篇从同，由是观之，或不无古训杂厕其中，即此足见《符言》为太公遗说，而非鬼谷子独有之学说，已可取信。

又按《老子》曰：

“孰能浊以静之徐清？孰能安以久动之徐生？保此道者，不欲盈。”第十五章

此为纯粹“安徐正静，以待倾损”之学说，老子此说必本《周书》可知。由是言之，虽谓《符言》一篇为非鬼谷作品可也。虽然，苏子传鬼谷先生之学，其纂述厥师平昔乐诵之辞，以著于篇，要亦事理之常。不过《符言》所论均为政略家所应具之态度、能力及条件，而非政略学上所讨究之内容，故吾于权谋学上均阙而不论，职此故也。

至前章所论“分威”、“散势”两法则，虽出于《本经阴符》，依史策所记，宜为苏子说解之词，详见第二章《鬼谷子真伪考》然其说之渊源，不能谓与鬼谷毫无关系。阴符之学，原为太公兵权谋之一部，自非苏子个人所创作。然而鬼谷传齐学，直入太公之堂奥，抉其精义，以创政略学之规模，故论述权谋学之结构，自不能忘其主要的法则而不论，故具著于篇，殆亦苏子尊其师说之本意也。

要之，鬼谷先生之政略的哲学思想，就其原理上各部分综合观察，其相互的关系约如下表。

举凡鬼谷先生政略的哲学之原理部分，均著于上表。其中唯说辞学上对于个人的地位、关系暨对方的情态及

鬼谷先生政略的哲学思想系统关系表

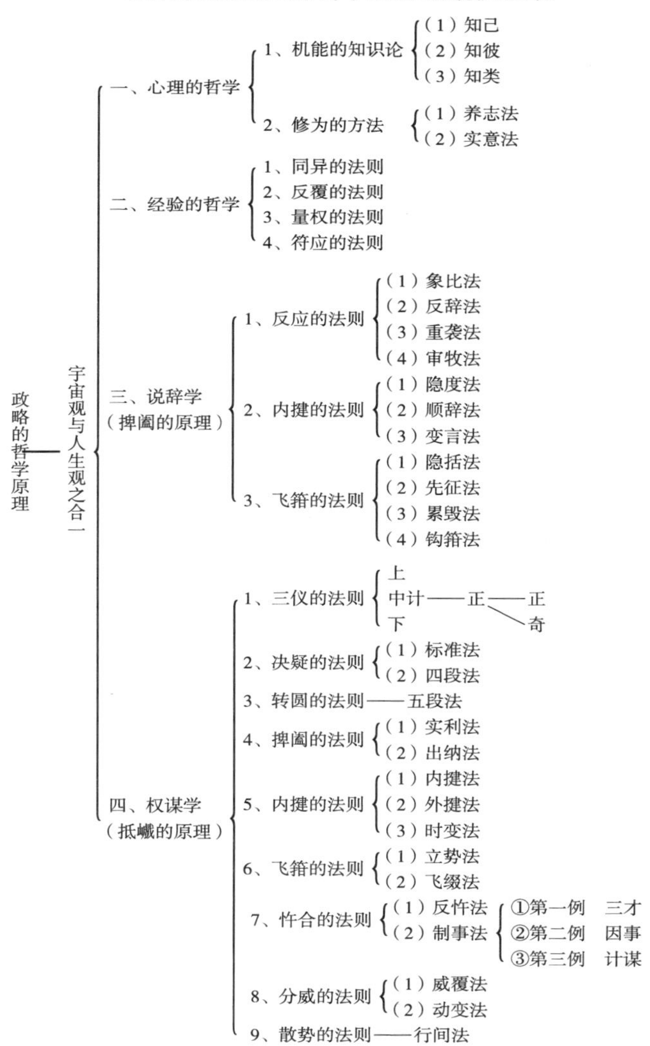

环境的事态等所适用之法则等，均缺而未列。诚以此为单纯施用之方法，非原理的部分，故不具列也。

由是观之，鬼谷先生政略的哲学之构成，固具有极精密之组织，非战国并世诸哲所能望其项背者。然独以历代伪儒之排斥，遂抑而不彰，斯殆我国政学界之不幸也欤?

《鬼谷子》新注

捭阖第一

粤若稽古，圣人之在天地间也，为众生之先。按贾谊《新书·先醒》篇曰："锐然独先达乎道理，故未治也，知所以治；未乱也，知所以乱；未安也，知所以安；未危也，知所以危。故昭然先寤乎所以存亡矣，故曰先醒。"此为众生之先之说也。观阴阳之开阖，以名命物，按《左氏传》言："名以制义。"《申子》曰："名目正也，事自定也，是以吾道者自名而正之，随事而定之也。"又《申子》佚文曰："圣人贵名之正也，以其名听之，以其名视之，以其名命之。"又贾子《新书》曰："令名自宣，命物自定，如鉴之应，如衡之称。"又《管子·心术上》曰："物固有形，形固有名，名当谓之圣人。"凡此均以名命物之义也。又按《易·系辞》曰："一阖一辟谓之变。"此开阖之说也。知存亡之门户，筹策万类一本作"物"之终始，达人心之理，见变化之朕焉，而守司其门户。故圣人之在天下也，自古之今，其道一也。《意林》引作"自古及今"。鲍本作"至"。按《易》曰："一阴一阳之谓道。"又《系辞》曰："化而裁之谓之变。"又曰："刚柔相推而生变化。"又《荀子·不苟》篇曰："诚心守仁则形，形则神，神则能化矣。诚心行义则理，理则明，明则能变矣。变化代兴，谓之天德。"又《孟子》曰："始条理者，智之事也；终条理者，圣之事也。”

〔捭阖者，天地之道。按此句下原文有“捭阖者”三字误衍，兹删正。以变动阴阳，四时开闭，以化万物。纵横，反出，反复，反忤，必由此矣。〕按此数句错简在后，兹校正。变化无穷，各有所归，按《易·系辞》曰：“往来不穷谓之通。”又曰：“变而通之以尽利。”《意林》录范子曰：“圣人之变，如水随形。形平则平，形险则险。”或阴或阳，或柔或刚，或开或闭，或弛或张。是故圣人一守司其门户，审察其所先后，《意林》引无“一”字、“所”字。度权量能，校其伎巧短长。审定有无，以一本作“与”其实虚，按《韩非子》曰：“虚则知实之情，静则知动者正。”此虚实之说也。随其嗜欲，以见其志意。〔可与不可，审明其计谋，以原其同异。按王通《中说》：“同不害正，异不伤物。”此言善处同异之间也。离合有守，先从其志。〕按此文有错简，兹校正。按《韩诗外传》曰：“相观而志合，必由其中。故同明相见，同音相闻，同志相从。”守者中也。微排其所言，而捭反之，以求其实，贵得其指。阖而捭之，以求其利。〔即欲捭之贵周，即欲阖之贵密，周密之贵微，《文选注》引云：“即欲闻之贵密，密之贵微。”“阖”作“闻”，误。“密之贵微”上脱“周”字。而与道相追。捭之者，料其情也。阖之者，结其诚也。〕按此数句均错简在后，此文原依古韵，应与上文相接，兹校正。〔或开而示之，或阖而闭之。开而示之者，同其情也。阖而闭之者，异其诚也。〕按此数句错简在前，兹校正。皆一本作“既”见其权衡轻重，乃为之度数，圣人因而为之虑。按《荀子·儒效》篇曰：“凡知说有益于理者为之，无益于理者舍之，夫是之谓中说。”其不中权衡度数，圣人因而自为之虑。按《淮南子·人间训》曰：“凡人之举事，莫不先以其知，规虑揣度，而后敢以定谋。”又曰：“知所以自行，而未知所以为人，行其所论，未之究者也。”自行者自为之虑也，为人者因而为之虑也。

〔夫贤不肖、智愚、勇怯、仁义有差，乃可捭，乃可阖，乃可进，乃可退，乃可贱，乃可贵。无为以牧之。〕按此数句错简在前，兹校正。故捭者，或捭而出之，或捭而纳之。阖者，或阖而取之，或阖而去之。

捭阖者，道之大化，吉凶天命系焉。〔说之变也，必豫审其变化。〕按此二句原本错简，兹校正。又按《易·系辞》曰：“拟之而后言，议之而后动，拟议以成其变化。“此变化之说也。口者，心之门户；六字《意林》引也。心者，神之主也。志意、喜欲、思虑、智谋，皆由门户出入。《意林》作“智谋皆从之出”。按《墨子·经上》曰：“循所闻而得其意，心也。”又曰：“执所言而意得见，心之辩也。”故关之以捭阖，制之以出入。

捭之者，开也，言也，阳也。阖之者，闭也，默也，阴也。按《易·系辞》曰：“子曰：君子之道或出或处，或默或语。二人同心，其利断金。同心之言，其臭如兰。”此捭阖之祖也。阴阳其和，终始其义。故言长生、安乐、富贵、尊荣、显名、本作“荣显名誉”爱好、财利、得意、喜欲，为阳，曰始。

故言死、一本有“亡”字忧患、贫贱、苦辱、弃损、亡利、失意、有害、刑戮、诛罚，为阴，曰终。诸言法阳之类者，皆曰始，言善以始其事。诸言法阴之类者，“者”字据上文增，一本“有”。皆曰终，言恶以终其谋。

捭阖之道，以阴阳试之。故与阳言者依崇高，与阴言者依卑小。按《韩非·难一》曰：“凡对问者，有因问小大缓急而对也，所问高大而对以卑狭，则明主弗受也。”韩非之说盖本鬼谷者。以下求小，以高求大，由此言之，无所不出，无所不入，无所不可。按《管子·宙合》篇曰：“可浅可深，可沈可浮，可曲可直，可言可默，此言指要功之谓也。”可以说人，可以说家，可以说国，可以说天下。为小无内，为大无外，按《吕氏春秋·下贤》曰：“其大无外，其小无内。”高诱训解曰：“道在大能大，故无复有外。在小能小，故无复有内。道之所贵也。”益损、去就、倍反，皆以阴阳御其事。

阳动而行，阴止而藏。阳动而出，阴隐而入。阳还终阴，阴极反阳。按《易·系辞上》曰：“其静也翕，其动也辟。”老子曰：“天门开阖，能无雌乎？”此阴阳动静之理也。又按《国语》曰：“阳至而阴，阴至而阳……后而用阴，先则用阳。”此阳还终阴、阴极反阳之说也。以阳动者，德相生也；以阴静者，形相成也。以阳求阴，苞以德也；以阴结阳，施以力也。阴阳相求，由捭阖也。此天地阴阳之道，而说人之法也。为万事之先，是谓圆方之门户。

反应第二《太平御览》引作《反覆》篇，据本文当作“反覆”，一本亦作“反应”。

古之大化者，乃与无形俱生。反以观往，覆以验来。反以知古，覆以知今。反以知彼，覆以知己。一本作“此”。按《老子》曰：“反者，道之动。”又曰：“万物并作，吾以观复。”此反复之说之所由本也。又《墨子》引古语曰：“谋而不得，则以往知来，以见知隐，谋若此可得而知矣。”此观往验来之义也。动静虚实之理，不合于今，反古而求之。事有反而得覆者，圣人之意也，不可不察。按《吕氏春秋·似顺》篇曰：“事多似倒而顺，多似顺而倒。有知顺之为倒、倒之为顺者，则可与言化矣。至长反短，至短反长，天之道也。”此所谓反而得复者也。

人言者，动也；己默者，静也。因其言，听其辞。言有不合者，反而求之，其应必出。按《韩非子·扬权》篇曰：“凡听之道，以其所出，反以为之入。……彼自离之，吾因以知之。”又《吕氏春秋·审应》篇曰：“以其出，为之入；以其言，为之名。取其实，以责其名。”此均反应之术也。言有象，事有比。其有象比，以观其次。象者，象其事；比者，比其辞也。按《易·系辞》曰：“象者，像也。”又曰：“夫象，圣人有以见天下之赜而拟诸形容，象其物宜，是故谓之象。”又按《易》曰：“比，辅也。”又

《韩非子·扬权》篇曰："叁伍比物，事之形也。叁之以比物，伍之以合虚。根干不华，则动泄不失。"以无形求有声，其钓语合事，得人实也。其犹张罝网而取兽也。多张其会而司之，道合其事，彼自出之。此钓人之网也，按《管子·白心》篇曰："审而出者彼自来。"此钓人之术也。常持其网驱之。

其言无比，乃为之变。以象动之，以报其心，见其情，随而牧之。按《管子·白心》篇曰："知其象则索其形，缘其理则知其情，索其端则知其名。"又《邓析子》曰："见其象，致其形。循其理，正其名。得其端，知其情。若此，何往不复，何事不成？"《武韬·发启》篇曰："必见其阳，又见其阴，乃知其心。必见其外，又见其内，乃知其意。必见其疏，又见其亲，乃知其情，"凡此疑均本鬼谷子学说者。惟《荀子·正名》篇曰："性之好恶喜怒哀乐谓之情。情然而心为之择，谓之虑。"荀子此说，盖释情虑之义也。己反往，彼覆来，言有象比，因而定基。重之，袭之，反之，覆之，万事不失其辞。按徐幹《中论》曰："反之覆之，钻之核之，然后彼之所怀者竭。"圣人所诱愚智，事皆不疑。古善反听者，乃变鬼神，以得其情。其变当也，而牧之审也。按《淮南子·汜论训》曰："圣人者，能阴能阳，能弱能强。随时而动静，因资而立功。物动而知其反，事萌而察其变化，则为之象，运则为之应，是以终身行而无所困。故事有可行而不可言者，有可言而不可行者，有易为而难成者，有难成而易败者。所谓可行而不可言者，趋舍也。可言而不可行者，伪诈也。易为而难成者，事也。难成而易败者，名也。此四策者，圣人所独见而留意也。”此可与本节参阅。牧之不审，得情不明；得情不明，定基不审。

变象比，必有反辞以还听之。按《韩非子·内储》篇曰：“倒言反事，以尝所疑，则奸情得。”此反辞之义也。欲闻其声反默，欲张反敛，欲高反下，欲取反与。按《老子》曰：“将欲歙之，必固张之。将欲弱之，必固强之。将欲废之，必固兴之。将欲夺之，必固与之。是谓微明。”微明者，高下取与之道也。又按《韩非子》引《周书》曰：“将欲败之，必姑辅之。将欲取之，必姑予之。”此鬼谷与老子学说之所由本也。又按《荀子·非十二子》篇曰：“言而当，知也。默而当，亦知也。故知默由知言也。”此亦言默之学说也。欲开情者，象而比之，以牧其辞。同声相呼，实理同归。按《吕氏春秋·名类》篇曰：“类固相召，气同则合，声比则应。”又曰：“其智弥觕者，其所同者弥觕。其智弥精者，其所同者弥精。”此之谓实理同归。

或因此，或因彼，或以事上，或以牧下。此听真伪，知同异，得其情诈也。按《荀子·正名》篇曰：“然则何缘而以同异？曰：缘天官耳目鼻口心体也。凡同类同情者，其天官之意物也同。故比方之，疑似而通，是所以共其约名，以相期也。”动作言默，与此出入，喜怒由此以见其式，皆以先定为之法则。按《韩诗外传》曰：“夫知者之于人也，未尝求知，而后能知也。观容貌，察气志，定取舍，而人情毕矣。《诗》曰：‘他人有心，予忖度之。’”以反求覆，观其所托。故用此者，己欲平静，以听其辞，察其事，论万物，别雄雌。按《吕氏春秋·审分》篇曰：“按其实而审其名，以求其情。听其言而察其类，无使放悖。”此听言之术也。**虽非其事，见微知类。**按《易·彖》曰：“万物睽而其事类同也。”及《象》曰：“上天下泽，君子以同而异。”王弼《明爻通变》释之云：“睽而知其类，异而知其通。”此言非事知类也。又按《韩非·说林》篇曰：“圣人见微以知萌，见端以知末。”此之谓知类。又引古谚曰：“知渊中之鱼者不祥。”“人将有大事而我示之知微，我必危。”“知人之所不言者，其罪大矣。”此则知类而善处之者也。**若探人而居其内，量其能，射其意，符应不失，如螣蛇之所指，若羿之引矢。**

故知之始，己自知，而后知人也。其相知也，若比目之鱼，其见形也，若光之与影也。《太平御览》引《反覆》篇云：“其和也若比目鱼。其伺言也，若声与响。”注曰：和，答问也。因问而言，申叙其解，如比目鱼相须而行。候察言辞往来，若影之随形，响之应声。按本文与此异。按《荀子·非相》篇曰：“圣人者，以己度者也。故以人度人，以情度情，以类度类，以说度功，以道观尽。古今一度也，类不悖，虽久同理。”此自知知人，察事知类之术也。又按《管子·心术上》曰：“人皆欲知，而莫索之，其所以知彼也，其所以知此也，不修之此，焉能知彼？”又《白心》篇曰：“自知者稽，知人曰济。”**其察言也不失，若磁石之取针，如舌之取燔骨。其与人也微，其见情也疾。如阴与阳，如阳与阴，如圆与方，如方与圆。未见形，圆以道之。既见形，方以事之。进退左右，以是司之。**按《论语》曰：“不知言，无以知人。”

《墨子·非攻》篇曰:“古者有语，谋而不得，则以往知来，以见知隐。”又《韩诗外传》曰:“客有见周公者，应之于门，曰:‘何以道旦也。’客曰:‘在外即言外，在内即言内。入乎将毋?’周公曰:‘请入。’客曰:‘立即言义，坐即言仁。坐乎将毋?’周公曰:‘请坐。’客曰:‘疾言则翕翕，徐言则不闻，言乎将毋?”周公唯唯:‘旦也踰。’明日，兴师而诛管、蔡。”故客善以不言之说，周公善听不言之说。若周公可谓能听微言矣。故君子之告人也微，其救人之急也婉。此之谓与人也微，见情也疾。己不先定，牧人不正，事用不巧，是谓亡情失道。己审先定，以牧人策而无形容，莫见其门，是谓天神。按《荀子·儒效》篇曰:“尽善挟治之谓神。”

内揵第三

君臣上下之事，有远而亲，近而疏，就之不用，去之反求，日进前而不御，遥闻声而相思。《意林》引“或遥闻而相思，或进前而不御”。按《邓析子》作：“事有远而亲，近而疏，就而不用，去而反求。”又按王弼《周易略例·下篇》曰：“近而不相得者，志各有存也。”此言近而疏者，其志迕也。又曰：“有应，则虽远而相得。”此言应虽远而亲也。事皆有内揵，素结本始。按《庄子·庚桑楚》篇曰：“夫外韄者，不可繁而捉，将内揵。内韄者，不可缪而捉，将外揵。外内韄者，道德不能持，而况放道而行者乎。”许氏《说文》曰：“韄，佩刀系也。”李云：“缚也。”内揵之说，见于战国诸子者，此义最为显明。又按《吕氏春秋·不广》篇曰：“以其所能，托其所不能，若舟之与车。”此言内揵之道，若舟车之更相载也，若蹶与蛩蛩距虚之互为用也。或结以道德，或结以党友，或结以财货，或结以采色。用其意，欲入则入，欲出则出，欲亲则亲，欲疏则疏，欲就则就，欲去则去，欲求则求，欲思则思。按《国语》引《礼志》曰：“将有请于人，必先有入焉。欲人之爱己也，必先爱人。欲人之从己也，必先从人。无德于人，而求用于人，罪也。”此言内揵素结之道也。又按《礼记·表记》篇曰：“厚于仁者薄于义，亲而不尊。厚于义者薄于仁，尊而不亲。”此言素结之道，以仁则亲，以义则尊也。若蚨母之从其子也，出无间，入无朕，独往独来，莫之能止。

内者，进说辞；揵者，揵所谋也。欲说者务隐度，计事者务循顺。阴虑可否，明言得失，以御其志。按《吕氏春秋·怀宠》篇曰：“凡君子之说也，非苟辩也……必中理然后说。”又《开春》篇曰：“善说者言尽理而得失利害定。”盖言隐度其中理而后说也。方来应时，以合其谋，〔事有不合者，圣人不为谋也。〕按此二句错简在后，兹校正。又按《国语》曰：“待其来者而正之，因时之宜而定之。”又曰：“方之时动，则非顺也。”又《荀子·天论》篇曰：“望时而待之，孰与应时而使之。”又《吕氏春秋·不广》篇曰：“智者之举事必因时。”凡此皆应时之学说也。〔详思来揵往应，时当也。言往者，先顺辞也。说来者，以变言也。〕按此四语疑系乐壹或陶宏景注释之词，误羼入正文。又按《国语》引：“范蠡曰：从时者犹救火追亡人也，蹶而趋之，唯恐弗及。”又《说苑》曰：“时乎时乎，间不及谋。至时之极，间不容息。”此均时当之义也。又《鹖冠子·天则》篇曰：“变而后可以见时。”此则时变之义也。

夫内有不合者，不可施行也。乃揣切时宜，从便所为，以求其变。按《韩非子》曰：“世异则事异，事异则备变。”此求变之说也。以变求内者，若管取揵。按《荀子·儒效》篇曰：“圣人者，道之管也。”善变者，审知地势，乃通于天，以化四时；使鬼神，合于阴阳，而牧人民。见其谋事，知其志意。事有不合者，有所未知也。合而不结者，阳亲而阴疏。

故远而亲者，有阴德也；近而疏者，志不合也。就而不用者，策不得也；去而反求者，事中来也。日进前而不御者，施不合也；遥闻声而相思者，合于谋，待决事也。自“故远而亲者”至此节，《邓析子》文与此微异，其言曰：“夫事有不合者，知与未知也。合而不结者，阳亲而阴疏。故远而亲者，志相应也。近而疏者，志不合也。就而不用者，策不得也。去而反求者，无违行也。近而不御者，心相乖也。远而相思者，合其谋也。”又按《淮南子·人间训》曰：“物或远之而近，或近之而远，或说听计当而身疏，或言不用、计不行而益亲。”又曰：“或直于辞而害于事，或亏于耳以忤于心，而合于实。”又王弼《明卦适变通爻篇》曰：“虽远而可以动者，得其应也。”应者，阴德也。凡此均与鬼谷之义相合。又按王通《中说》言：“贾琼问事人之道。子曰：远而无介，就而无谄，泛乎利而讽之，无斗其捷。”此则言处亲疏远近之道也。故曰：不见其类而为之者，见逆；不得其情而说之者，见非。得其情，乃制其术。“得”字上一本有“必”字。按《孔丛子》曰：“孔子曰：吾于予，取其言之近类也。于赐，取其言之切事也。近类则足以谕之，切事则足以惧之。”近类足谕则不逆，切事足惧则不非，此所谓得情制术也。又按《淮南子·人间训》曰：“见本而知末，观指而睹归，执一而应万，握要而治详，谓之术。”又贾子《新书》曰：“道者，所从接物也。其本者，谓之虚。其末者，谓之术。……术者所从制物也，动静之数也。”此用，可出可入，可揵可开。故圣人立事，以此先知，而揵万物，由夫道德、仁义、礼乐、忠信、计谋。按《礼运》曰："圣人耐以天下为一家，以中国为一人者，非意之也，必知其情，辟于其义，明于其利，达于其患，然后能为之。"此立事之术也。

先取《诗》《书》，混说损益，议论去就。欲合者用内，欲去者用外。外内者，必明道数。揣策来事，见疑决之。策无失计，立功建德。按《淮南子·修务训》曰："苏援世事，分白黑利害，以筹策得失，以观祸福。设仪立度，可以为法则。穷道本末，究事之情。"许慎注曰：苏，犹索。援，别也。又《说苑》曰："夫智者举事也，满则虑溢，平则虑险，安则虑危，曲则虑直。由重其豫，惟恐不及，是以百举而不陷也。"鬼谷所谓揣策来事，亦谓其豫也。治民入产业，曰：揵而内合。"民"一作"名"，按此语不可通，疑有脱误。上暗不治，下乱不寤，揵而反之。内自得而外不留，说而飞之。若命自来，己迎而御之。若欲去之，因危与之。环转因化，莫知所为，退为大仪。按《荀子·非相》篇曰："凡说之难，以至高遇至卑，以至治接至乱，未可直至也。远举则病缪，近世则病佣。(鄙也)善者于是间也，亦必远举而不缪，近世而不佣。与时迁徙，与世偃仰。缓急嬴绌，府然若渠匽檃栝之于己也，曲得所谓焉，然而不折伤。故君子之度己以绳，接人则用枻。(或曰枻当为棋，韩愈云：枻者乐枻也，正弓弩之器也。)度己以绳，故足以为天下法则矣。接人用枻，故能宽容因求以成天下大事矣。故君子贤而能容众，知而能容愚，博而能容浅，粹而能容杂。夫是之谓兼术。"荀子兹论，与本篇盖互相发明者也。

抵巇第四 **“巇”《太平御览》引作“㦗”。刘逵注左思赋云：鬼谷先生书有《抵戏》篇，又作“戏”。**

物有自然，《文选注》引云：物有自然。乐氏注曰：自然继本名也。事有合离。有近而不可见，远而可知。近而不可见者，不察其辞也。远而可知者，反往以验来也。按扬子《法言》曰：“君子之言幽必验乎明，远必验乎近，大必验乎小，微必验乎著，无验而言之谓妄。”

〔自天地之合离、终始，必有巇隙，不可不察也。察之以捭阖，能用此道，圣人也。〕〔圣人者，天地之使也。〕按此节错简在后，兹校正。事之危也，圣人知之，独保其用。因化说事，三句《太平御览》引通达计谋，以识细微。四字《文选注》引。按《中庸》曰：“国有道，其言足以兴；国无道，其默足以容。《诗》曰：“既明且哲，以保其身。”此言处危之道也。又《礼记·孔子闲居》篇曰：“四方有败，必先知之。”此之谓圣人知之也。又按王弼《明卦适变通爻》曰：“避险尚远，趋时贵近。”能知此者，故能独保其用。经起秋毫之末，挥之于太山之本。按《庄子·齐物论》曰：“天下莫大于秋毫之末，而太山为小。”又《韩诗外传》曰：“闻其末而达其本者，圣也。”其施外，兆萌牙蘖之谋，皆由抵巇。抵巇隙，为道术。按《鹖冠子·著希》篇曰：“夫乱世者，以粗智为造意，以中险为道，以利为情。”陆佃注：“中险，司巇也。”又《天则》篇曰：“见间则以奇相御，人之情也。”陆注：“间，巇隙也。”方其犍闭，虽有奇计，安得而抵之哉！又按《扬子法言》曰：“或问蒯通抵韩信，不能下，又狂之。曰：方遭信闭，如其抵。曰：巇可抵乎？曰：贤者司礼，小人司巇，况拊键乎！”若扬子云者，盖深明抵巇之理者也。其言小人者，偏见也。又按《汉书·杜业传》赞曰：“业因势而抵陒。”服虔曰：抵音纸，陒音羲。苏秦书有此法。颜师古注：抵，击也。陒，毁也。陒音诡，一说读与戏同，许宜反，亦险也。言击其危险之处。《鬼谷》有《抵巇》篇也。又按《淮南子·人间训》曰：“居智所为，行智所之，事智所秉，动智所由，谓之道。”此之谓抵巇隙为道术也。〔巇者，罅也。罅者，峒也。峒者，成大隙也。巇始有朕，可抵而塞，可抵而却，三句《太平御览》引可抵而息，可抵而匿，可抵而得，此谓抵巇之理也。〕按此节错简在前，兹校正。

天下分错，上无明主，公侯无道德，则小人谗贼，贤人不用，圣人窜匿，贪利诈伪者作。君臣相惑，土崩瓦解而相伐射。父子离散，乖乱反目。是谓萌牙巇罅。圣人见萌牙巇罅，则抵之以法。世可以治，则抵而塞之；不可治，则抵而得之。或抵如此，或抵如彼，或抵反之，或抵覆之。〔五帝之政，抵而塞之；三王之事，抵而得之。诸侯相抵，不可胜数。当此之时，能抵为右。〕按以上八语，疑为战国时人注，误羼入正文。

世无可抵，则深隐而待时。时有可抵，则为之谋。可以上合，可以检下。能因能循，为天地守神。按《论语》曰："宁武子邦有道则知，邦无道则愚。其知可及也，其愚不可及也。"又曰："用之则行，舍之则藏。""危邦不入，乱邦不居。天下有道则见，无道则隐。""邦有道，贫且贱焉，耻也。邦无道，富且贵焉，耻也。"又《荀子·宥坐》篇引孔子曰："君子博学深谋，修身端行，以俟其时。"鬼谷此言，皆儒家之绪论也。

飞箝第五

凡度权量能，所以征远来近。立势而制事，必先察同异，别是非之语，案下文及陶注“同异”下脱“之党”二字。按《易·同人》曰：“君子以类族辨物。”又《礼记·仲尼燕居》篇曰：“辨说得其党。”又《韩诗外传》曰：“辩者别殊类，使不相害；序异端，使不相悖。输公通意，扬其所谓，使人预知焉，不务相违也。是以辨者不失其所守，不胜者得其所求。故辨可观也。”此立势制事之道也。见内外之辞，知有无之数，决安危之计，定亲疏之事，按《韩非·备内》篇曰：“远听而近视，以审内外之失。省同异之言，以知朋党之分。偶参伍之验，以责陈言之实。”此说与鬼谷完全相合。然后乃权量之。其有隐括，乃可征，乃可求，乃可用。

引钩箝之辞，飞而箝之。按《意林》引《太公六韬》曰：“辨言巧辞，善毁善誉者，名曰间谍飞言之士。”飞箝者，飞言以箝取之，使同于我也。钩箝之语，其说辞也，乍同乍异。心意之虑，怀审其意，知其所好恶，乃就说其所重。以飞箝之辞，钩其所好，以箝求之。按《墨辩·大取》篇曰：“于事为之中而权其轻重之谓求。”求为是非也。其不可善者，或先征之，而后重累；按《中庸》曰：“上焉者虽善无征，无征不信。”又《吕氏春秋·行论》篇引:“《诗》曰:‘将欲毁之，必重累之。将欲踣之，必高举之。’”又《战国策》曰:“语曰论不修心，议不累物。”又曰:“辍而弃之，怨而累之。”《说文》曰:“重，厚也。”段注:“厚斯重矣。引申之为郑重重叠。”按段说是也。或先重以“以”字疑衍累，而后毁之。按《说苑》曰:“天将与之，必先苦之。天将毁之，必先累之。”此亦累毁对举之说也。或以重累为毁，或以毁为重累。其用，或称财货、琦玮、珠玉、璧帛、采色以事之，或量能立势以钩之，或伺候见𡺲而箝之。其事，用抵巇。

将欲用之天下，必度权量能，见天时之盛衰，制地形之广狭，岨崄之难易，人民货财之多少，诸侯之交孰亲孰疏，孰爱孰憎。按《孙子·军争》篇曰:“不知诸侯之谋者，不能豫交。”交者，谋之所向也。用之于人，则量智能、权材力、料气势，为之枢机。一本有“飞”字以迎之随之，以箝和之，以意宜之，此飞箝之缀也。按王充《论衡·自纪》篇曰:“以圣典而示小雅，以雅言而说丘野，不得所晓，无不逆者。故苏秦精说于赵，而李兑不说。商鞅以王说秦，而孝公不用。夫不得心意所欲，虽尽尧舜之言，犹饮牛以酒、啖马以脯也。故鸣丽深懿之言，关于大而不通于小，不得已而强听入胸者少。”此则用于人之说也。又按《庄子·人间世》篇曰:“形莫若就，心莫若和。虽然，之二者有患，就不欲入，和不欲出。……彼且为婴儿，亦与之为婴儿。彼且为无町畦，亦与之为无町畦。彼且为无崖，亦与之为无崖。达之入于无疵。”又曰:“汝不知夫养虎者乎?不敢以生物与之，为其杀之之怒也。不敢以全物与之，为其决之之怒也。时其饥饱，达其怒心。虎之与人异类，而媚养己者，顺也；故其杀者，逆也。”此和箝宜意飞缀之术也。用于人，则空往而实来，缀而不失，以究其辞。可箝而从，可箝而横；可引而东，或引而西；可引而南，可引而北；可引而反，可引而覆。虽覆能复，不失其度。

忤合第六

凡趋合倍反，计有适合。化转环属，各有形势。反覆相求，因事为制。按《邓析子》曰："因势而发誉，则行等而名殊。人齐而得时，则力敌而功倍。其所以然者，乘势之在外。"此化转形势之义也。是以圣人居天地之间，立身、御世、施教、扬声、明名也，必因事物之会，观天时之宜，因之所多所少，以此先知之，与之转化。按《说苑》曰："谋有二端：上谋知命，其次知事。知命者预见存亡祸福之原，早知盛衰废兴之始，防事之未萌，避难于无形。若此人者，居乱世则不害于其身；在乎太平之世，则必得天下之权。故知事者亦尚矣，见事而知得失成败之分，而究其所终极，故无败业废功。"知命者，先知也；知事者，因知也。

世无常贵，事无常师。二句《意林》引。按《韩非子·喻老》篇曰："事者，为也，为生于时，知者无常事。"圣人常为，无不为；所听，无不听。按一本作"圣人无常与，无不与；无所听，无不听"。《老子》曰："道常无为而无不为。"此其义所由本也。成于事而合于计谋，与之为主。按《荀子·正名》篇曰："计者取所多，谋者从所可。"合于彼而离于此，计谋不两忠，按《吕氏春秋·权勋》篇曰："利不可两，忠不可兼。"必有反忤。反于是，一本作"此"忤于彼；忤于此，反于彼。其术也。按《淮南子·氾论训》曰："忤而后合，谓之知权。"又曰："圣人之言，先忤而后合。"又《主术训》曰："众愚人之所见者寡，事可权者多，愚之所权者少。此愚者之所以多患也。物之可备，智者尽备之；可权者，尽权之。此智者之所以寡患也。故智者先忤而后合，愚者始乐而终于哀。"此反忤求合之义也。

用之天下，必量天下而与之；用之国，必量国而与之；用之家，必量家而与之；用之身，必量身材能气势而与之。大小进退，其用一也。必先谋虑计定，而后行之以飞箝之术。按扬子《法言》曰："君子……善其谋而后动。"

古之善背向者，乃协四海，包诸侯，忤合之地而化转之，然后以之求合。按《孙子·九变》篇曰："屈诸侯者以害，役诸侯者以业，趋诸侯者以利。"此化转求合之道也。故伊尹五就汤，五就桀，而不能有所明，然后合于汤。吕尚一本作"望"三就文王，三入殷，而不能有所明，然后合于文王。《太平御览》引《忤合》篇云：伊尹五就桀，五就汤，然后合于汤。吕尚三入殷朝，三就文王，然后合于文王。此天知之至归之不疑。注云：伊尹、吕尚各以至知说圣王，因择钧行其术策，按本文与此小异。此知天命之箝，故归之不疑也。

非至圣达奥，不能御世；不据别本增劳心苦思，不能原事。按《韩非子·解老》曰："思虑熟则得事理，得事理则必成功。"

不悉心见情，不能成名。材质不惠，不能用兵。忠实无真，不能知人。故忤合之道，己必自度材能知睿，量长短远近孰不如，乃可以进，乃可以退，乃可以纵，乃可以横。

揣篇第七《太平御览》引作《揣情》篇

古之善用天下者，必量天下之权而揣诸侯之情。量权不审，不知强弱轻重之称；揣情不审，不知隐匿变化之动静。

何谓量权，曰：度于大小，谋于众寡，称货财之一本无“之”字有无，料人民多少、饶乏，有余不足几何；辨地形之险易，孰利孰害；谋虑孰长孰短；君臣别本无“臣”字之亲疏，孰贤孰不肖；与宾客之知别本无“知”字睿，孰少孰多；别本作“孰多孰少”观天时之祸福，孰吉孰凶；诸侯之亲，一本有“疏”字，别本有“信”字。孰用孰不用；百姓之心，去就变化，孰安孰危，孰好孰憎。反侧孰辩，能知如一本无“如”字，别本同。此者，是谓权量。按《易·系辞》曰：“夫乾，天下之至健也，德行恒易以知险。夫坤，天下之至顺也，德行恒简以知阻。能说诸心，能研诸侯之虑，定天下之吉凶，成天下之亹亹者。”此权量揣情的学说之所由本也。又按《史记索隐》：“高诱曰：揣，定也。摩，合也。定诸候使雠其术，以成六国之从也。”江邃曰：“揣人主之情，摩而近之。”

揣情者，必以其甚喜之时往，而极其欲也。其有欲也，不能隐其情。二句《文选注》引，上有“藏形”二字，似误。必以其甚惧之时往，而极其恶也。其有恶也，不能隐其情。情欲必失其变。按《荀子·正名》篇曰：“欲者，情之应也，以所欲以为可得而求之，情之所必不免也。”此欲之时义也。又《韩非》引《申子》曰：“其无欲见，人司之。其有欲见，人饵之。”此言司饵其欲以揣之也。又按《管子·权修》篇曰：“审其好恶，其长短可知也。”感动而不知其变者，乃且错其人，勿与语，而更问所亲，知其所安。按《庄子·人间世》曰：“采色不定，常人之所不违，因案人之所感，以求容与其心。……将执而不化，外合而内不訾。”又曰：“若能入游其樊，而无感其名。入则鸣，不入则止。无门无毒，一宅而寓于不得已，则几矣。”庄子此说，盖亦纵横家之遗风也。夫情变于内者，形见于外。故常必以其见者，而知其隐者。此所以一本无“以”字谓测深揣情。《文选注》引此四字。按王充《论衡》曰：“文王官人法曰：推其往行，以揆其来言。听其来言，以省其往行。观其阳，以省其阴。察其内，以揆其外。是故诈善没节者可知，饰伪无情者可辨，质成居善者可得，含忠守节可见也。”此之谓测深揣情。

故计国事者，则当审权量；说人主，则当审揣情。谋虑情欲必出于此。《太平御览》引《揣情》篇云：“说王公君长，则审情以说。避所短，从所长。”今按藏本无此文。乃可贵，乃可贱。乃可重，乃可轻。乃可利，乃可害。乃可成，乃可败。其数一也。按俞樾《古书疑义举例》，古书发端之词例曰乃者，承上之词也，而古人或用以发端。《尧典》“乃命羲和”，是也。又引《周官·小司徒》：“乃颁比法于六乡之大夫，乃会万民之卒伍而用之，乃均土地以稽其人民而周知其数，乃经土地而井牧其田野，乃分地域而辨其守。”皆以“乃”字领之。俞义甚显。鬼谷此说亦其例也。故虽有先王之道、圣智之谋，非揣情，隐匿无所索之。此谋之大本，而说之法也。按王弼《明爻通变篇》曰：“见情者获，直往则达。”此谋本之法也。

常有事于人，人莫先事而至，此最难为。按《中庸》曰：“凡事豫则立，不豫则废。言前定则不跲，事前定则不困；行前定则不疚，道前定则不穷。”又《韩非子·解老》曰：“先物行，先理动，之谓前识。前识者，无缘而妄意度也。”此先事之说也。又《说苑》曰：“谋先事则昌，事先谋则亡。”君子事以生谋，顾谋先为尚也。故曰：揣情最难守司，言必时其谋虑。故观蜎飞蠕动，无不有利害，可以生事。美按“美”字疑系“善”字之误。生事者，几之势也。按《淮南子·人间训》曰：“圣人者常从事于无形之外，而不留思尽虑于成事之内，是故患祸弗能伤也。”生事者，事未形而动其几也。故曰：几之势也。又《韩诗外传》曰：“蝖飞蠕动，各乐其性。”韩说本此。此揣情饰言，成文章而后论之。按《孟子》曰：“君子志于道也，不成章不达。”此亦其义也。

摩篇第八《太平御览》引作《摩意》篇

摩者，揣之术也。别本有“内”字。内符者，揣之主也。《太平御览》引《摩意》篇云：“摩者，揣之也。”今按全篇无此文，附录于此。按《学记》曰：“相观而善之谓摩。”摩者，由外而合于内者也。用之有道，其道必隐微。别本“微”字接前“隐”字读摩之，以其所欲，测而探之，内符必应。其应也必有为之，故微而去之。是谓塞窌匿端、隐貌逃情，而人不知。故一本有“能”字成其事而无患。摩之在此，符之在彼。从而应之，事无不可。

古之善摩者，如操钓而临深渊，饵而投之，必得鱼焉。《御览》引“焉”作“矣”。故曰：主事日成，而人不知；主兵日胜，而人不畏也。圣人谋之于阴，故曰神；成之于阳，故曰明。按《管子·轻重》篇曰：“女华者，桀之所爱也，汤事之以千金。曲逆者，桀之所善也，汤事之以千金。内则有女华之阴，外则有曲逆之阳，阴阳之议合而得成其天子。此汤之阴谋也。”又《鹖冠子·泰录》曰：“神明者，积精微全粹之所成也。”所谓主事日成者，积德也，而民安之，不知其所以利；积善也，而民道之，不知其所以然，而天下比之神明也。主兵日胜者，常战于不争不费，而民不知所以服，不知所以畏，而天下比之神明。按《韩非·内储》篇曰："叁疑废置之事，明主绝之于内，而施之于外。资其轻者，辅其弱者，此谓庙攻。叁伍既用于内，观听又行于外，则敌伪得。"庙攻者，战于不争也。

其别本无"其"字摩者，有以平，有以正，有以喜，按《庄子·人间世》曰："凡事若小若大，寡不道以欢成。"有以怒，有以名，有以行，有以廉，有以信，按《庄子·人间世》曰："凡交近则必相靡以信。"有以利，有以卑。平者，静也；正者，直也；喜者，悦也；怒者，动也；名者，发也；行者，成也；廉者，洁也；信者，明也；利者，求也；卑者，〔贱〕也。按许氏《说文》："卑，贱也。"昔宁戚以讴歌说齐，百里奚以五羊之皮说秦，皆以卑贱进。一本作"谄"，误也，兹校正。故圣人所独用者，众人皆有之，然无成功者，其用之非也。

故谋莫难于周密，说莫难于悉听，事莫难于必成，按《太平御览》引"悉听"作"悉行"。又注云："摩不失其情，故能建功。"此三者唯圣人然后能任之。故谋必欲周密，必择其所与通者说也。故曰：或结而无隙也。按《易·系辞》曰："君不密则失臣，臣不密则失身，几事不密则害成。"夫事成必合于数，故曰：道数与时相偶者也。又按《孙子·势》篇曰："治乱，数也。"又《管子·七法》曰："刚柔也，轻重也，大小也，实虚也，远近也，多少也，谓之计数。"又按《霸言》曰："知者善谋，不如当时。"又曰："圣人能辅时，不能达时。"又王弼《明卦通变通爻》曰："虽险而可以处者，得其时也。”

说者听，必合于情。故曰：情合者别本有“必”字听。按《韩诗外传》曰：“相观而志合，必由其中。故同明相见，同音相闻，同志相从。”故物归类，抱薪趋按《意林》引“趋”作“赴”火，燥者先燃；平地注水，湿者先濡。四句《北堂书钞》引此物类相应，按《意林》作“此类相应”也于势譬犹是也。此言内符之应外摩也如是。按《易·系辞》引孔子曰：“同声相应，同气相求。水流湿，火就燥。云从龙，风从虎。圣人作而万物睹。本乎天者睹上，本乎地者睹下，则各从其类也。”又按《传》曰：“善其音而类者应焉。”又曰：“马鸣而马应之，牛鸣而牛应之，非知也，其势然也。”又《荀子》曰：“君子絜其辨而同焉者合矣，善其言而类焉者应矣。故马鸣而马应之，非知也，其势然也。”凡此均与鬼谷之说互相发明。故曰：摩之以其类，焉有不相应者？乃摩之以其欲，焉有不听者？故曰：独行之道。按王弼《明卦通变通爻》曰：“观变动者存乎应。”又云：“虽后而敢为之先者，应其始也。”此言应之要也。夫几者不晚，成而不拘，久而化成。按今文《尚书·皋陶谟》曰：“禹曰：惟几惟康。”“惟时惟几。”又《易·系辞》曰：“唯深也，故能通天下之志。唯几也，故能成天下之务。”韩康伯注曰：“极未形之理，则曰深。适动微之会，则日几。”此言几动甚微，善适则不晚也。

权篇第九《太平御览》引作《量权》篇

说者，说之也；说之者，资之也。饰言者，假之也。假之者，益损也。应对者，利辞也。利辞者，轻论也。成义者，明之也。明之者，符验也。按王充《论衡》曰："凡论事者违实，不引效验，虽甘义繁词，众不见信。"此言符验之必要也。难言者，却论也。却论者，钓几也。〔言或反复，欲相却也。〕按此两句宋本以为注文，秦校本增正。余疑此殆古注文，非《鬼谷》本文也。又按《韩诗外传》曰："夫繁文以相假，饰词以相悖，数譬以相移，外人之身使不得反其意，则论便然后害生也。夫不疏其指而弗知谓之隐，外意外身谓之讳，几廉倚跌谓之移，指缘缪辞谓之苟，四者所不为也。""繁文"者饰言也，"数譬"者成义也，"外身"、"外意"者却论也。

佞言者谄而于忠，"于"字应是"干"字之讹。《尔雅·释言》曰："干，求也。"下四节及注并同。按王充《论衡》曰："人主好辨，佞人言利。人主好文，佞人辞丽。心合意同，偶当人主，说而不见其非，此之谓谄也。"又曰："佞人不毁人如毁人。……佞人求利故不毁人。……以计求便，以数取利，利则便得，妬人共事，然后危人。其危人也，非毁之。而其害人也，非泊之。誉而危之，故人不知。厚而害之，故人不疑。是故佞人危而不怨，害人之败而不仇，隐情匿意为之功也。”此所谓佞言者谄而干忠也。谀言者博而于智，按《庄子·渔父》曰：“莫之显而进之谓佞，希意道言谓之谄，不择是非而言谓之谀。”此三者之别也。平言者决而于勇，戚言者权而于信，静言者反而于胜。按《尧典》曰：“静言庸违。”蔡沈《集传》：“静则能言，用则违背也。”先意承欲者，谄也。繁称文辞者，博也。策选进谋者，权也。纵舍不疑者，决也。先分不足以窒非者，反也。按《孟子》曰：“诐辞知其所蔽，淫辞知其所陷，邪辞知其所离，遁辞知其所穷。”孟子知言之说，与此说可以互相发明。

故口者，机关也，所以关“关”字脱，据《太平御览》及注文增。闭情意也。《艺文类聚》及《太平御览》引耳目者，心之佐助也，所以窥间见奸邪。故曰：参调而应，利道而动。按《韩非·八经》曰：“参言以知其诚，易视以改其泽。……举往以悉其前，即迩以知其内，疏置以知其外，握明以问所闇，诡使以绝黩泄，倒言以尝所疑，论反以得阴奸。……举错以观奸动。……卑适以观直谄。”此之谓参调而应，利道而动。故繁言而不乱，翱翔而不迷，变易而不危者，观要得理。按《韩非·八经》曰：“言会众端，必揆之以地，谋之以天，验之以物，参之以人。四征者符，乃可以观矣。”又《孔丛子》曰：“孔子曰：君子以理为尚。博而不要，非所察也；繁辞富说，非所听也。唯知者不失理。”又《淮南子·人间训》曰：“说者之论，诚得其数，则无所用多矣。夫车之所以能转千里者，以其要在三寸之辖。夫劝人而弗能使也，禁人而弗能止也，其所由者非理也。”由此诸家之说，足以明“观要得理”之义矣。故无目者不可示以五色，无耳者不可告以五音。故不可以往者，无所开之也。不可以来者，无所受之也。物有不通者，故不事也。按《论语》曰：“可与言而不与之言，失人。不可与言而与之言，失言。知者不失人，亦不失言。”又曰：“言未及之而言，谓之躁。言及之而不言，谓之隐。未见颜色而言，谓之瞽。”又按《传》曰：“智者不为非其事。”又《淮南子》曰：“交画不畅，连环不解，物有不通者，圣人不争也。”此言物有不通者，智者不为也。又按徐幹《中论·贵言》篇曰：“君子之与人言也，使辞足以达其知。虑之所至，事足以合其性情之所安，弗过其任而强牵制也。苟过其任而强牵制，则将昏瞀委滞，而遂疑君子以为欺我也；不，则曰无闻知矣。非故也，明偏而示之以幽，弗能照也；听寡而告之以微，弗能察也。斯所资于造化者也。”徐氏此论尤深切著明。古人有言曰：口可以食，不可以言。二句《艺文类聚》及《太平御览》引言者，有违忌也。众口铄金，言有曲故也。按《礼·缁衣》曰：“子曰：君子溺于口，……在其所亵也。……口费而烦，易出难悔，易以溺人。”又《兑命》曰：“惟口起羞。”此言言不可不慎也。又《论语》曰：“君子名之，必可言也。言之，必可行也。君子于其言无所苟而已矣。”又曰：“其言之不怍，则为之也难。”又子贡曰：“君子一言以为知，一言以为不知，言不可不慎也。”又《大学》曾子传曰：“言悖而出者，亦悖而入。”此谓言有讳忌也。又按《邓析子》曰：“非所宜言勿言，非所宜为勿为，以避其危。非所宜取勿取，以避其咎。非所宜争勿争，以避其声。一声而非，驷马勿追；一言而急，驷马不及。”此圣人所不事者也。故曰：口可以食，不可以言也。

人之情，出言则欲听，举事一本脱“事”字则欲成。按《荀子·非相》篇曰：“君子必辩，凡人莫不好言其所善，而君子为尤甚焉。是以小人辩言险，君子辩言仁。”是故智者不用其所短，而用愚人之所长；一本有“智者”二字不用其所拙，而用愚人之所工，四句《意林》引“不用其所拙”上无“智者”二字。“工”作“巧”。故不困也。按《邓析子》曰：“夫人情发言欲胜，举事欲成，故明者不以其短疾人之长，不以其拙病人之工。”言与此合。又《荀子·大略》篇曰：“无用吾之所短，遇人之所长；故塞而避所短，移而从所仕。”杨倞注：“仕”与“事”同，事所能也。又《庄子·外物》篇曰：“虽有至知，万人谋之。”又《淮南子·修务训》曰：“智者之所短，不若愚者之所修。贤者之所不足，不若众人之有余。”皆此义也。言其有利者，从其所长也。言其有害者，避其所短也。按《太平御览》引《量权》篇曰：“言有通者从其所长，言有塞者从其所短。”注云：人辞说条通理达，即叙述从其长者，以昭其德。人言壅滞，即避其短，称宣其善，以显其行。言说之枢机，事物之志务也。今按全篇无此文，附录于此。又按《墨子·经上》曰：“利所得而喜也，害所得而恶也。”又《墨辩·大取》曰：“利之中取大，害之中取小。利之中取大，非不得已也。害之中取小，不得已也。”此言利害之抉择，自有其道也。故介虫之捍也，必以坚厚；螫虫之动也，必以毒螫。故禽兽知用其长，而谈者知用其用也。《太平御览》

引《量权》篇云："介虫之捍必以甲而后动，螫虫之动必先螫毒，故禽兽知其所长，而谈者不知用也。"注云：虫以甲自覆障，而言说者不知其长。按本文与此小异。

故曰辞言五：曰病，曰恐，原本作"怨"，据别本改正。曰忧，曰怒，曰喜。按《说文》："辞，讼也，从𤔔辛，犹理辜也。"《后汉·周纡传》："善为辞案条教。"又《易·系辞》曰："辞也者，各指其所之。"《荀子·正名》曰："辞也者，兼异实之名，以论一意也。"故曰：病者，感衰气而不神也。恐者，肠绝而无主也。忧者，闭塞而不泄也。怒者，妄动而不治也。喜者，宣散而无要也。此五者，精则用之，利则行之。按《中庸》曰："或安而行之，或利而行之，或勉强而行之。"按《易·系辞》曰："将欲叛者其辞惭，中心疑者其辞枝，吉人之辞寡，躁人之辞多，诬善之人其辞游，失其守者其辞屈。"此六辞者，五病之变也。又《大学》曾子传曰："身有所忿懥，则不得其正。有所恐惧，则不得其正。有所好乐，则不得其正。有所忧患，则不得其正。"鬼谷之说本此。又《荀子·臣道》篇曰："因其惧也，而改其过。因其忧也，而辨其故。因其喜也，而入其道。因其怒也，而除其怨。曲得所谓焉。"此均儒家学说之本义也。又按《左氏传》曰："臾骈曰：目动而言肆，惧我也。"又鱼府曰："右师视速而言疾，有异志焉。"又《国语》载："柯陵之会，单襄公见晋厉公，视远步高。晋郄锜见其语犯，郄犨见其语迂，郄至见其语伐，齐国佐见其语尽。单子曰：'目以处义，足以步目。今晋侯视远而步高，目不在体，而不足步目，其心必异矣……郄伯之语犯，叔迂，季伐。犯则陵人，迂则诬人，伐则掩人。有是宠也而益之以三怨，其谁能忍之？虽齐国子亦将与焉。立于淫乱之国，而好尽言，以招人过，怨之本也。”然而犯、迂、诬、尽四者，亦辞之病也，不可不察也。故与智者言，依于博；与博者言，原本、别本作“与拙者言”，据《太平御览》改正。依于辨；按徐幹《中论·竅辩》曰：“辨之言必约以至。不烦而论，疾徐应节。不犯礼教，足以相称。乐尽人之辞，善致人之志。使论者各尽得其愿，而与之得解。其称也无其名，其理也不独显。若此则可谓辨。”与辨者言，依于要；三句《太平御览》引。按徐幹《中论》曰：“辨之为言别也，为其善分别事类而明处之也。”若是则与辨者言必依于要，可知矣。与贵者言，依于势；按《孟子》曰：“说大人则藐之，勿视其巍巍然。”此亦与贵者言之术也。与富者言，依于高；“高”当从《邓析子》作“豪”为是。与贫者言，依于利；与贱者言，依于谦；《邓析子》无此句与勇者言，依于敢；与过“过”当作“进”，别本作“通”，《邓析子》作“愚”。者言，依于锐。此其术“术”，《太平御览》引作“说”。也，而人常反之。

是故与智者言，将此以明之。与不智者言，将此以教之，而甚难为也。按《韩非·喻老》曰：“知者不以言谈教。”为其难喻也。故言多类，事多变。故终日言不失其类，故事不乱。按《荀子·大略》篇曰：“多言而类，圣人也。”终日不变，而不失其主，故智贵不妄。听贵聪，智贵明，辞贵奇。按《邓析子》曰：“谈者别殊类使不相害，序异端使不相乱，谕志通意非务相乖也。若饰词以相乱，匿词以相移，非古之辩也。”又按《墨子·小取》篇曰：“夫辩者将以明是非之分，审治乱之纪，明同异之处，察名实之理，处利害，决嫌疑焉。摹略万物之然，论求群言之比，以名举实，以辞抒意，以说出故，以类取，以类予，有诸己不非诸人，无诸己不求诸人。”此则墨家名学之类的学说，与鬼谷之说，固极相关联者也。

谋篇第十《太平御览》引作《谋虑》篇

为人，别本无“为人”二字凡谋有道，必得其所，因以求其情。审利其情，乃立三仪。三仪者：曰上，曰中，曰下。参以立焉，以生奇。“奇”一本作“计”不知其所拥，按《说文》：拥，褢也，褢裹也。始于古之所从。《太平御览》引《谋虑》篇云：乃立三仪，曰上，曰中，曰下。参以立焉。注云：三仪有上有下有中。按《说文》：“从，随行也。”《诗·齐风》：“并驱从两肩。”《曾传》曰：“从，逐也，亦随也。”《释诂》曰：“从，自也。其引申之义也。”又《左传》：“使乱大从。”王肃曰：“从，顺也。”故郑人之取玉也，载司南之车，为其不惑也。《艺文类聚》《文选注》《太平御览》并引。又“载”字上《艺文类聚》有“必”字。夫度材量能揣情者，亦事之司南也。按和璞出于荆山，见《意林》引《抱朴子》。郑在荆北，故取玉必载司南之车。《韩非子》曰：“先王立司南以端朝夕。”

故同情而俱相亲者，其俱成者也。同欲而相疏者，其偏害者也。《太平御览》引《鬼谷子》曰：肃慎氏献白雉于文王，还恐迷路，问周公，作指南车以送之。今按全书无此文，疑是司南句下注文也。（按此为乐壹注文，见高承《事物纪原》九引乐壹注。）按《庄子·寓言》曰:“与己同则应,不与己同则反。同于己为是之,异于己为非之。”又《六韬·文师》曰:“君子情同而亲合,亲合而事生之,情也。”又《淮南·兵略训》曰:“同利相死,同情相成,同欲相助。”皆此义也。同恶而相亲者,其俱害者也。同恶而相疏者,别本有“其”字偏害者也。按《荀子·不苟》篇曰:“凡人之患偏伤之也,见其可欲也,则不虑其可恶也者;见其可利也,则不顾其可害也者。是以动则必陷,为则必辱,是偏伤之患也。”又《鹖冠子·著希》篇曰:“夫乱世者,以粗智为造意,以中险为道,以利为情。若不相与同恶,则不能相亲。相与同恶,则有相憎。”又《学问》篇曰:“所谓仁者,同好者也。所谓义者,同恶者也。所谓忠者,久愈亲者也。所谓信者,无二响者也。”故相益则亲,相损则疏,其数行也。此所以察同异之分,一本有“其”字类一也。按《荀子·法行》篇曰:“曾子曰:无内人之疏,而外人之亲。”《韩诗外传》作“无内疏而外亲”。王弼《周易略例》下曰:“同救以相亲,同辟以相疏。”救辟者,益损之道也。故墙坏于其“其”字据别本增隙,木毁于其节,《意林》引二“其”字并作“有”斯盖其分也。按《淮南子·人间训》曰:“夫墙之坏也于隙,剑之折也必有啮。圣人见之蚤,故万物莫能伤。”故变生于事,事生谋,谋生计,计生议,议生说,说生进,六句《太平御览》引无“于”字,又引注曰:“会同异曰议,决是非曰说。”进生退,退生制,因以制于事。故百事一道,而百度一数也。按《孙子·计》篇曰:“计利以听,乃为之势,以佐其外,势者因利而制权也。”又《说苑》曰:“道逆时反,而后权谋生焉。”

夫仁人轻货，不可诱以利，可使出费；勇士轻难，不可惧以患，可使据危；智者达于数、明于理，不可欺以诚，可示以道理，可使立功，是三才也。故愚者易蔽也，不肖者易惧也，贪者易诱也，是因事而裁之。按《鹖冠子·道端》篇曰："临货分财，使仁。犯患应难，使勇。受言结辞，使辨。虑事定计，使智。"又曰："仁之功，善与。勇之功，不争下不怨上。辨士之功，释怨解难。智士之功，事至而治，难至而应。"《荀子·大略》篇曰："知者明于事，达于数，不可以不诚事也。故曰：君子难说，说不以道，不说也。"故为强者，积于弱也。为直者，积于曲也。有余者，积于不足也。此其道术行也。按《韩非·喻老》篇曰："有形之类，大必起于小。行久之物，族必起于少。故曰：天下之难事，必作于易。天下之大事，必作于细。是以欲制物者于其细也。故曰：图难于其易也，为大于其细也。"

故外亲而内疏者，说内；内亲而外疏者，说外。按《邓析子》曰："夫合事有不合者，知与未知也。合而不结者，阳亲而阴疏。"《鹖冠子·学问》篇曰："彼心为主，则内将使外。内无巧验，近则不及，远则不至。"故因其疑以变之，因其见以然之，按《慎子》曰："天道，因为大。……因也者，因人之情也。……用人之自为，不用人之为我，则莫不可得而用矣。此谓之因。"《鹖冠子·学问》篇曰："见变而命之，因其所为而定之。若心无形灵，辞虽搏捆，不知所之。"又《吕氏春秋·报更》篇曰："善说者陈其势，言其方，见人之急也，若自在危厄之中。"又曰："善说者若巧士，因人之力以自为力，因其来而与来，因其往而与往，不设形象，与生俱长。顺风而呼，声不加疾也。际高而望，目不加明也。所因便也。”因其说以要之，因其势以成之，按《左氏传》引：“史佚有言曰：因重而抚之。”此因势而成之说也。因其恶以权之，因其患以斥之。按《淮南子·说林训》曰：“兕虎在于后，随侯之珠在于前，弗及掇者，先避患而后就利也。”摩而恐之，高而动之，微而正之，符而应之，拥而塞之，乱而惑之，是谓计谋。

计谋之用，公不如私，私不如结，结而无隙者也。正不如奇，奇流而不止者也。按《吕氏春秋·贵卒》篇曰：“力贵突，智贵卒。得之同则速为上，胜之同则湿为下。”此言智捷应猝，机变不穷，故贵卒也。智捷者善出奇以应猝者也。善出奇以应猝，则机变不穷。故曰：奇流而不止者也。故说人主者，必与之言奇。说人臣者，必与之言私。按《管子·禁藏》篇曰：“视其阴所憎，厚其货赂，得情可深，身内情外，其国可知。”其身内，其言外者，疏。其身外，其言深者，危。无以人之所不欲，别本作“无以身之所不欲”而强之于人；无以人之所不知，而教之于人。按《老子》曰：“人之所教，我亦教之。”是教以所知，不教以所不知也。《管子·经言》篇曰：“毋与不可，毋强不能，毋告不知。”《中庸》引孔子曰：“施诸已而不欲，亦无施于人。”其义均近。又《淮南子·说林训》曰：“求物必于近之者。”此则自其正义言也。人之有好也，学而顺之；人之有恶也，避而讳之。故阴道而阳取之也。按《国策》任章引《周书》曰：“将欲败之，必姑辅之。将欲取之，必姑与之。”此谓阴道而阳取之也。

故去之者纵之，纵之者乘之。貌者，不美又不恶，故至情托焉。按《大学》曾子传曰：“诚于中形于外。”又曰：“人之视己如见其肺肝。”故以至情托焉为必要也。可知者，可用也；不可知者，谋者所不用也。按《礼运》曰：“用人之知去其诈。”此用其可知者也。又按王通《中说》曰：“多言不可与远谋，多动不可与久处。”此言择谋之术也。故曰：事贵制人，而不贵见制于人。制人者，握权也；见制于人者，制命也。按《荀子·王霸》篇曰：“善择者制人，不善择者人制之。”又按《管子·七臣七主》引记曰：“无实则无势，失辔则马焉制。”此制人之术也。故圣人之道阴，愚人之道阳，按《管子·侈靡》篇曰：“众而约。实取而言让，行阴而言阳。利人之有祸，言人之无患。”此均阴道也。智者事易，而不智者事难。以此观之，亡不可以为存，而危不可以为安。“为存”、“为安”二“为”字，一本皆作“反”。然而无为而贵智矣。按《国语》曰：“王孙雒曰：危事不可以为安，死事不可以为生，则无为贵智矣。”本文“然而无为而贵智”，疑有衍误。

智用于众人之所不能知，而能用于众人之所不能见。按《邓析子》曰：“圣人……视昭昭，知冥冥，推未运，睹未然，故神而不可见，幽而不可见。”此言能用智者也。既用，见可否，择事而为之，所以自为也；见不可，择事而为之，所以为人也。按《韩非·观行》篇曰：“因可势，求易道，故用力寡而功名立。”此以可势而自为之说也。又引《管子》曰：“见其可，说之有证；见其不可，恶之无形。”又《诡使》篇曰：“先为人而后自为，类名号，言泛爱天下谓之圣。”故先王之道阴。言有之曰：“天地之化，在高与深。圣人之制道，在隐与匿。”非独忠信仁义也，中正而已矣。按《庄子·在宥》篇曰：“匿而不可不为者，事也。粗而不可不陈者，法也。远而不可不居者，义也。亲而不可不广者，仁也。节而不可不积者，礼也。中而不可不高者，德也。一而不可不易者，道也。”又《易·同人》曰：“文明以健，中正而应，君子正也。唯君子为能通天下之志。”又《观》曰：“顺而巽中正，……以观天下。”又《晋象》曰：“受兹介福，以中正也。”又《离》曰：“柔丽乎中正，故亨。”《鬼谷》中正之说本此。道理达于此义者，原本作“之”，据别本改正。则可与言。由能得此，则可与谷远近之义。按《孟子》曰：“羿之教人射，必志于彀。学者亦必志于彀。”《尔雅》：“彀，善也，亦释弓满也。”疑“谷”为“彀”之误。

决篇第十一

为人，凡决物必托于疑者，善其用福，恶其有患害。按蒯彻曰："知者决之断也，疑者事之害也。审毫厘之小计，遗天下之大数。智诚知之，决弗敢行者，百事之祸也。"《国语》曰："拘之以利，结之以信，示之以武。"《管子·禁藏》篇曰："善者圉之以害，牵之以利。"又曰："凡人之情见利莫能勿就，见害莫能勿避。"就或避者，即决之果也。至于诱也，终无惑，偏有利焉，去其利，则不受也。奇按"奇"字，疑系"利"字之误。之所托，若有利于善者，隐托于恶，则不受矣，致疏远。按《庄子·山木》篇曰："夫以利合者，迫穷祸患害相弃也。"《韩非·内储》篇曰："事起而有所利，其市主之。有所害，必反察之……国害则省其利，臣害则察其反者。"此决物之道也。又《庄子·徐无鬼》篇曰："爱之则亲，利之则至，誉之则劝，致其所恶则散。"《墨辩·经上》曰："义利也。利所得而喜也，害所得而恶也。"故其有使失利，其一本无"其"字有使离害者，此事之失。按《荀子·不苟》篇曰："欲恶取舍之权，见其可欲也，则必前后虑其可恶也者；见其可利也，则必前后虑其可害也者，而兼权之，熟计之。"《淮南子·人间训》曰："众人皆知利利而病病，唯圣人知病之为利，知利之为病。"又引孔子读《易》至《损》

《益》，未尝不愤然而叹曰："益损者，其王者之事欤？事或欲以利之，适足以害之；或欲害之，乃反以利之。利害之反，祸福之门户，不可不察也。"

圣人所以能成其事者，有五：有以阳德之者，有以阴贼之者，有以信诚之者，有以蔽匿之者，有以平素之者。按《淮南子·人间训》曰："物或损之而益，或益之而损。"又曰："事或夺之而反与之，或与之而反取之。"此之谓阳德阴贼。又《淮南子·人间训》引君子曰："美言可以市尊，美行可以加人。"此之谓信诚。又《庄子·渔父》篇曰："析交离亲谓之贼，称誉诈伪以败恶人谓之慝。"又《淮南子·诠言训》曰："平者道之素也，虚者道之舍也。"《鹖冠子·学问》曰："道德者操行所以为素也。"陆佃注云："素如献素之素，道德操行之本，故曰素。"阳励于一言，阴励于二言，平素枢机，以用四者，微而施之。按贾谊曰："虚者，言其精微也，平素而无设施也。"于是度之往事，验之来事，参之平素，可则决之。按《庄子·天下》篇曰："以参为验，以稽为决。"《荀子·大略》篇曰："是非疑则度之以远事，验之以近物，参之以平心。"王公大人之事也，危而美一本作"变"名者，可则决之。按"王公大人"四字连称，数见《墨子·尚贤》篇，此战国时人之通语也。不用费力而易成者，可则决之。用力犯勤苦，然而不得已而为之者，可则决之。去患者，可则决之。按《韩非·外储》曰："势不足以化则除之。"又曰："赏之誉之，不劝。罚之毁之，不畏。四者加焉不变，则其除之。"又曰："子夏曰：善持势早绝奸之萌。”此均去患正乱之义也。从福者，可则决之。

故夫决情定疑，万事之机，一本作“基”以正乱治，决成败难为者。按《国语》引申包胥曰：“不勇则不能断疑，以发大计。”《荀子·议兵》篇曰：“智莫大乎弃疑，行莫大乎无过，事莫大乎无悔。事至无悔而止矣，成不可必也。”又《解蔽》篇曰：“凡观物有疑，中心不定，则外物不清。吾虑不清，则未可定然否也。以疑决疑，决必不当。”此言决之要也。故先王乃用蓍龟者，以自决也。按箕子《洪范》曰：“汝则有大疑，谋及乃心，谋及卿士，谋及庶人，谋及卜筮。”此卜筮之说之始也。王充《论衡》引孔子曰：“蓍者耆也，龟者旧也。狐疑之事，当问耆旧。蓍龟未可取神也，取其名耳。”又曰：“武王伐纣，卜筮大凶。太公推蓍蹈龟曰：‘枯骨死草，何能知吉凶乎？’”仲任达识，陈义甚高，诚为卓解。

符言第十二

按《管子·九守》篇内，主位、主明、主听、主赏、主问、主因、主周、主参、督名，各章均与此篇各章大致从同。余疑此文，故系齐《史记》所载太公兵权谋之遗说，而为齐学者，如苏子及管子均掇载之也。

安徐正静，其被节无不肉。一本作“先肉”，无“无不”二字。善与而不静，当作“争”虚心平意以待倾损。按《管子·势》篇曰：“安徐正静。”“其所处者，柔安静乐，行德而不争，以待天下之溃作也。”（尹注：“溃，动乱也。”韦注：“《周语》曰：待，犹备也。”）又宋本《六弢·文弢·大礼》篇曰：“安徐而静，柔节先定，善与而不争，虚心平志，待物以正。”《管子·九守》篇亦作“柔节先定”。“其被节无不肉”义极晦，疑有讹误。又按《老子》曰：“孰能浊以静之，徐清。孰能安以久动之，徐生。保此道者，不欲盈。”又《韩非·扬权》篇曰：“虚而待之，彼自以之。”此安徐正静、虚心平志之说也。

右主位。按《管子·九守》篇均作“右主位”，有字误，以下均同。

目贵明，耳贵聪，心贵智。“智”，《邓析子》作“公”。以天下之目视者，则无不见。以天下之耳听者，则无不闻。

以天下之心虑者，则无不知。“心”《邓析子》作“智”。辐凑并进，则明不可塞。

右主明。按《管子·九守篇》“主明”，与此章同。《六弢·文礼》篇“主明”一节，亦大致相同。惟“见”“闻”“智”下均有“也”。又“明不可塞”作“明不蔽矣”。又按箕子《洪范》曰：“貌曰恭，言曰从。视曰明，听曰聪。思曰睿，恭作肃。从作乂，明作哲。听作谋，睿作圣。”此主明之说所由本也。又《韩诗外传》曰：“独视不若与众视之明也，独听不若与众听之聪也，独虑不若与众虑之工也。故明主使贤臣辐辏并进，所以通中正而致隐居之士。《诗》曰：‘先民有言，询于蒭荛。’”此其释义甚明。

德之术曰：勿坚而拒之。许之，则防守。拒之，则闭塞。高山仰之，可极。深渊度之，可测。神明之位，按“德”字，章草作“位”，此位字当系“德”字之误。正静，其莫之极欤。一本无“欤”字。

右主德。按《六弢·文礼》篇主听曰：“勿妄而许，勿逆而拒。许之则失守，拒之则闭塞。高山仰之不可极也，深渊度之不可测也。神明之德，正静其极。”又《管子·九守》篇曰：“听之术，勿望而距，勿望而许。”余同《六弢》文。又按《说苑》曰：“夫政者无迎而拒，无望而许。”其语本此。

用赏贵信，用刑贵正。赏赐贵信，必验耳目之所见闻，其所不见闻者，莫不闇化矣。诚畅于天下神明，而况奸者干君。

右主赏。按《管子·九守》篇主赏曰:“用赏贵诚,用刑贵必。刑赏信必于耳目之所见,则其所不见莫不闇化矣。诚畅乎天地,通于神明,见奸伪也。”戴望《校正》:“‘见’字当为‘况’。”又《六弢》“赏罚”曰:“凡用赏者贵信,用罚者贵必。赏信罚必于耳目之所闻见,则所不闻见者莫不阴化矣。夫诚畅于天地,通于神明,而况于人乎。”又按《康诰》曰:“敬明乃罚。”此正刑之说也。又《礼·缁衣》曰:“上不可亵刑而轻爵。”此言赏刑之不可忽也。

一曰,天之。二曰,地之。三曰,人之。按《管子》房玄龄注曰:“言三才之道,幽邃深远,必问于贤者而后行之。”四方,上下,左右,前后,荧惑之处安在。

右主问。按《管子》房注曰:“凡此皆有逆顺之宜,故须问之。”又注曰:“又须知法星所在也。”又按《韩非·内储》篇曰:“挟智而问,则不智者至。深智一物,众隐皆变。”此主问之道也。戴望《管子校正》:“荧惑,犹眩惑也。"《逸周书·史记》篇曰:“荧惑不治。”《赵策》曰:“苏秦荧惑诸侯。”或作“营惑”。《史记·吴王濞传》:“晁错荧惑天下。”《淮南王传》:“荧惑百姓。”《汉书》均作“营惑”。

心为九窍之治,君为五官之长。按《管子》作:“心不为九窍,九窍治。君不为五官,五官治。”为善者,君与之赏;为非者,君与之罚。按《邓析子》曰:“为善者,君与之赏;为恶者,君与之罚。因其所以来而报之,循其所以进而答之。圣人因之,故能用之。因之循理,故能长久。”文意约略相同,足资参证。《管子》“与”作“予”。君因其政之所以,求因与之则不劳。按《韩非·外储》曰："因事之理，则不劳而成。"《管子》作"君因其所以来，因而予之"。"求"字《管子·九距》作"来"，误也。见《小称》。圣人因之，故能掌之。因之循理，固一本作"故"，《邓析子》亦作"故"。能久长。按"因"、"掌"二字据《管子》改正。又按《韩非·扬权》曰："因而任之，使自事之。因而予之，彼将自举之。正与处之，使皆自定之。""因其所为，各以自成。"

右主因。

人主不可不周。人主不周，则群臣生乱。按《管子·势》篇曰："善周者，明不能见也。""善明者，周不能蔽也。"房注曰："周谓谨密也。"寂乎其无常也，内外不通，安知所开？一本作"闻"。《管子》作"怨"。房注曰："内外不通，则事不泄，故无怨。"按"寂乎"二字，据《管子》改正。又按《韩非》曰："其事不当，下考其常。"常，常理也。关闭不开，善不见原也。按王引之曰："《管子》作关闬不开，闬当作闭。"又《管子》作："关闬不开，善否无原。"房注曰："既不开其关闬，故善之与不善，不得知其原。"

右主周。

一曰长目，二曰飞耳，三曰树明。〔明知〕千里之外，隐微之中，是谓洞天下奸。莫不闇变更。按《管子·九守·主参》篇，"千里"句上有"明知"二字。《管子》下二句为"曰动奸，奸动则变更矣。"房注曰："奸在隐微，其理将动，奸既动矣，自然变更。"又按《韩非·内储》曰："数见久待而不任，奸则鹿散。使人问他，则不鬻私。"此义发《鬼谷》所未道，可以参证。

右主恭。《管子》作“参”。

循名而为实，安而完。按《管子·九守·督名》作“修名而督实，按实而定名”。名实相生，反相为情。按《管子》此句下有“名实当则治，不当则乱。”又按“反”字读为“还反”之“反”，《说文》：“还，复也。”故曰：名当则生于实，实生于理。按《管子》此句以下作：“名生于实，实生于德，德生于理，理生于智，智生于当。”理生于名实之德，德生于和，和生于当。

右主名。《管子》作“右督名”。

转丸、胠乱据注“乱”当作“箧”。

二篇皆亡。一本作“转丸第十三，胠箧第十四”，下注“亡”字。

本经阴符七篇自本经以下，一本题作“外篇”

盛神法五龙

按《淮南子·精神训》曰：“耳目清、听视达，谓之明。五藏能属于心而无乖，则教志胜而行不僻矣。教志胜而行之不僻，则精神盛而气不散。精神盛而气不散，则理。理则均，均则通，通则神。神则以视无不见，听无不闻也，以为无不成。”盛神〔者〕，中有五气。神为之长，心为之舍，德为之大。一本作“人”养神之所归诸道。道者，天地之始，一其纪也。物之所造，天之所生，包宏无形。化气先天地而成。莫见其形，莫知其名，谓之神〔明〕。按“明”字，一本作“灵”，盖误。《鬼谷》书无称神灵者，下文接称神明，足证其误，兹改正。按《老子》曰：“有物混成，先天地生，寂兮寥兮，独立而不改，周行而不殆，可以为天下母。”又按《韩非·主道》曰：“道者万物之始，是非之纪也。……虚静以待令，令名自命也，令事自定也。”“有言者自为名，有事者自为形。”故道者，神明之源，一其化端。是以德养五气，心能得一，乃有其术。按《易·系辞》曰：“化而裁之存乎变，推而行之存乎通，神而明之存乎其人。”所谓道者，化推而变通之也。神明之源，盖谓是也。又按《韩诗外传》曰：“凡治气养心之术，……莫慎一好。好一则博。博则精，精则神，神则化。是以君子务结心乎一也。”又云：“智虑潜深则一之以易谅。”此言养气之术必源于一也。又《吕氏春秋·论人》曰：“无以害其天，则知精。知精则知神，知神之谓得一。凡彼万形，得一而后成。故知一则应物变化，阔大渊深，不可测也。德行昭美，比于日月，不可息也。”此之谓心能得一，乃有其术。又《论语》曰：“女以予为多学而识之者欤？……非也，予一以贯之。”《尸子·分》篇曰：“审一之经，百事乃成。审一之纪，百事乃理。”术者，心气之道，所由舍者，神一本无“神”字乃为之使。按《韩非·扬权》曰：“虚心以为道舍。”〔九窍十二舍者，气之门户，心之总摄也。〕按此十五字，疑系晋人注文。生受之天，谓之真人。真人者，与天为一。

〔故人与生一，出于物化。〕按此句以后原文多错简，兹均校正。〔化有五气者，志也，思也，神也，德也，一本脱“也”字神其一长也。静和者，养气。养气得其和，四者不衰。四边威势无不为，存而舍之，是谓神化归于身，谓之真人。〕按《易·系辞》曰：“穷神知化，德之盛也。”神化归身者，穷神以知化也。〔而知者内修炼而知之，谓之圣人。圣人者，以类知之。〕按《荀子·解蔽》曰：“人生而有知，知而有志。志也者，藏也。……心生而有知，知而有异。异也者，同时兼知之。兼知之，两也。”“心枝则无知，倾则不精，贰则疑惑。”“类不可两也，故知者择一而壹焉。”又按《荀子·非相》曰：“不先虑，不早谋。发之而当，成文而类。居错迁徙，应变不穷，是圣人之辩者也。先虑之，早谋之。斯须之言而足听，文而致实，博而党正，是士君子之辩者也。听其言则辞辩而无统，用其身则多诈而无功。上不足顺明王，下不足以和齐百姓。然而口舌之于噡唯，则节足以为奇伟偃却之属。夫是之谓奸人之雄。”又按《易·系辞》曰：“圣人有以见天下之动，而观其会通。”会通者，类也。知类在窍，有所疑惑，通于心术。〔心无其〕术，必有不通。按“心无其”三字，据陶注增。按《韩非·解老》曰：“思虑静故德不去，孔窍虚则和气日入。”其通也，五气得养，务在舍神，此之谓化。按《中庸》曰：“曲能有诚，诚则形，形则著，著则明，明则动，动则变，变则化，唯天下至诚为能化。”“至诚之道可以前知。”“祸福将至，善，必先知之；不善，必先知之。”〔圣〕按原文作“真”，误，兹改正。人者，同天而合道，执一而养按此“养”字，疑系衍文，合俞樾《古书疑义举例》涉上下文而衍例。产万类，怀天心，施德养，无为以包志虑，思意而行威势者也。士者，通达之，神盛乃能养志。按《尸子·分》篇曰：“执一以静，令名自正，令事自定。”《韩非子·扬权》曰：“圣人执一以静，使名自命，令事自定。”《中庸》曰：“诚者不勉而中，不思而得，从容中道，圣人也。”又按《中庸》曰：“高明配天。”高明者，天之道也。又言：“今夫天，斯昭昭之多，及其无穷也，日月星辰系焉，万物覆焉。”无穷者，天道运行之纪也。

养志法灵龟

养志者，心气之思不达也。按《孟子》曰："志，气之帅也。气，体之充也。夫志至焉，气次焉。故曰：持其志，无暴其气……志一则动气，气一则动志。……我知言。我善养吾浩然之气。……其为气也，至大至刚，以直养而无害，则塞于天地之间。……行有不慊于心，则馁矣。"〔养志之始，务在安己。己安则志意实坚。志意实坚，则威势不分，神明常固守，乃能分之。〕按本章原文多错简，自此节以下，均经重行厘定次序。按《韩诗外传》："孔子曰：夫谈说之术，齐（《古逸丛书》本作"矜"）庄以立之，端诚以处之，坚强以待之，辟称以喻之〔《古逸本》作"分别以谕之"），分以明之〔《古逸》本作"譬称以明之"），欢忻芬芳以送之（《古逸》本作"欣欢芬芗以送之"），宝之珍之，贵之神之，如是则说恒无不行矣，夫是之谓能贵其所贵。若夫无类之说，不形之行，不赞之辞，君子慎之。《诗》曰：'无易由言，无曰苟矣。'"齐庄者，养志也。端诚者，安己也。坚强者，实坚也。分明者，分也。欢忻芬芳者，神明所守也。孟子曰："充实之谓美，充实而有光辉之谓大。"《论语》曰："君子不重则不威，学则不固。"又按《吕氏春秋·具备》曰："说与治之务莫若诚……说与治不诚，其动人心不神。"有所欲志，存而思之。志者，欲之使也。欲多，则心散。心散则志衰，志衰则思不达也。故心气一则欲不徨，欲不徨则志意不衰；志意不衰则思理达矣，理达则和通；和通则乱气不烦于胸中。志不养，心气不固。心气不固，则思虑不达。思虑不达，则志意不实。志意不实，则应对不猛。应对不猛，则志失而心气虚。志失而心气虚，则丧其神矣。按《韩诗外传》：“孔子曰：好辩论而畏惧，教之以勇。”畏惧者失志心虚，教以勇所以养其气志也。神丧则仿佛，仿佛则参会不一。

〔将欲用之于人，必先知养其气一本无“气”字。志一本作“必先知其养志”。知按此亦合俞书涉上下文而衍例，疑系衍文。人气盛衰，而养其气志。一本作“而养其志气”察其所安，以知其所能。〕〔故内以养志，外以知人。养志则心通矣，知人则职分明矣。〕按《吕氏春秋·论人》曰：“凡论人，通则观其所礼，贵则观其所进，富则观其所养，听则观其所行，止则观其所好，习则观其所言，穷则观其所不受，贱则观其所不为。喜之以验其守，乐之以验其僻，怒之以验其节，惧之以验其特，哀之以验其人，苦之以验其志。“此知人察验之术也。

实意法螣蛇

实意者，气之虑也。心欲安静，虑欲深远。心安静则神明荣，“明荣”二字一本作“策生”，下文同。虑深远则计谋成。神明荣则志不可乱，计谋成则功不可间。按《邓析子》曰：“心欲安静，虑欲深远。心安静则心策生，虑深远则计谋成。”“心不欲躁，虑不欲浅。心躁则精神滑，虑浅则百事倾。”其言与《鬼谷子》合。《大学》曰：“知止而后有定，定而后能静，静而后能安，安而后能虑，虑而后能得。”又按《文子》曰：“神者智之渊，神清则智明。智者心之府，智公则心平。”（廉江江琮以《文子》为文种之书，或以为老氏弟子，柳子厚以为“时有若可取，盖驳书也”。此言殆本于《鬼谷子》欤？意虑定则心遂安，〔心遂安〕则其所行不错。神〔自得矣，〕得则凝。按《韩非·解老》篇曰：“积德而后神静，神静而后知多，知多而后计得。”又案《荀子·议兵》曰：“得之则凝。”唐杨倞注云：“凝，定也。”又《庄子·逍遥游》：“其神凝使物不疵疠。”《达生》曰：“用志不分，乃凝于神。”又《中庸》曰：“苟不至德，至道不凝焉。”凝者定也。又按王通《中说》曰：“凝滞者知之蟊也。”“凝”字解作“成”。陶注不可信也。

〔计谋者，存亡之枢机。意“意”字据前文增。虑不会，则听不审矣。候之不得，计谋失矣。则意无所信，虚而无实。〕按本文以下，颇多错简，兹均校正。按《韩非·解老》篇曰：“体道则其智深，其智深则其会远，其会远，众人莫能见其极。”〔识气寄，奸邪得“邪得”二字一本脱而倚之，诈谋得而惑之，言无由心矣。〕〔故计谋之虑，务在实意，实意必从心术始。〕〔故信心术，守真一而不化，待人意虑之交会，听之候之也。〕案蒯彻说韩信曰：“听者事之候也，计者事之机也。听过计失，而能久安者，鲜矣。”《庄子·渔父》篇曰：“真在内者，神动于外。”

无为而求，安静五脏，和通六腑，精神魂魄固守不动，乃能内视反听，定志〔虑〕，之太虚，待神往来。按《庄子·天下》篇曰："独与天地精神往来而不敖倪万物。"又《中庸》曰："至诚无息，不息则久。外则征，征则悠远。悠远则博厚，博厚则高明。""如此不见而章，不动而变，无为而成。"又《易·系辞》曰："神以知来，知以藏往。"此待神往来之说也。以观天地开辟，知万物所造化。见一本作"具"阴阳之终始，原人事之政理。不出户而知天下，不窥牖而见天一本无"天"字道。不见而命，不行而至，按《易·系辞》曰："夫易，圣人之所以极深而研几也。唯深也，故能通天下之志。唯几也，故能成天下之务。唯神也，故不疾而速，不行而至。"《鬼谷》此说盖深得《易》理焉。《韩诗外传》曰："昔者不出户而知天下，不窥牖而见天道。非目能视乎千里之前，非耳能闻乎千里之外，以己之情量之也。"此之谓不见不行也。又按徐幹《中论·虚道》篇曰："君子……务鉴于人以观得失。故视不过垣墙之里，而见邦国之表。听不过阈槷之内，而闻千里之外，因人也。人之耳目尽为我用，则我之聪明无敌于天下矣。是谓人一之，我万之；人塞之，我通之。"《韩非·喻老》篇曰："空窍者，神明之户牖也。耳目竭于声色，精神竭于外貌，故中无主。中无主，则祸福虽如丘山，无从识之。故曰：不出于户可以知天下，不窥于牖可以知天道。此言神明之离其实也。"又曰："智周乎远，则所遗在近。是以圣人无常行也。能并智，故曰不行而知。能并视，故曰不见而明。随时以举事，因资而立功，用万物之能而获利其土。故曰：不为而成。"又按《吕氏春秋·君守》曰："不出者，所以出之也。不为者，所以为之也。"此吕氏之释义也。是谓道知，以通神明，应于无方，而神宿矣。

分威法伏熊

按《武韬·文伐》曰："亲其所爱，以分其威；一人两心，其中必衰。廷无忠臣，社稷必危。"又《管子·禁藏》曰："视其所爱，以分其威；一人两心，其内必衰也。"房注曰："令敌国之所爱者各权，则其威分。威分则每人各怀二心，心二则力不齐，故内衰也。"又按《韩非·外储》曰："马惊于出彘，而造父不能禁制者，非辔策之严不足也，威分于出彘也。"此谓彘令马畏，故曰威分也。

分威者，神之覆也。按《吕氏春秋·本生》曰："精通乎天地，神覆乎宇宙。"此之谓神之覆也。故静意固志，神归其舍，则威覆盛矣。按俞樾《古书疑义举例》曰："故者，承上之词，而古人亦或用以发端。"又按《荀子·不苟》篇曰："君子……未施而亲，不怒而威。"又《儒效》篇："勇则速威。"又《议兵》篇："礼者……威行之道也。"威覆盛则内实坚，内实坚则莫当，莫当则能以分人之威，而动其势，如其天。按《韩非·八经》曰："喜见则德偿，怒见则威分。"《中庸》曰："发强刚毅，足以有执也。齐庄中正，足以有敬也。""虽善不尊，不尊不信。"又按《韩诗外传》引子张谓子夏曰："子亦闻夫子之议论邪？徐言訚訚，威仪翼翼。后言先默，得之推让。巍巍乎，荡荡乎，道有归矣。”“巍巍”、“翼翼”，威覆之盛也。扬子《法言》曰：“貌重则有威。”“貌轻则招辱。”以实取虚，以有取无，若一本脱“若”字以镒称铢。按《韩诗外传》引：“子夏曰：与人以实，虽疏必密。与人以虚，虽戚必疏。夫实之与实，如胶如漆。虚之与虚，如薄冰之见昼日。”

〔将欲动变，必先养志伏意以视间。知其固实者，自养也；让己者，养人也。故神存兵亡，乃为之形势。〕按此文错简在后，兹校正。故动者必随，唱者必和。挠其一指，观其余次。动变见形，无能间者。按《孟子》曰：“至诚而不动者，未之有也。不诚，未有能动者也。”又《中庸》曰：“诚则形，形则著，著则明，明则动，动则变，变则化，唯天下至诚为能化。”此动变之理也。审于唱和，以间见间。动变明而威可分也。按扬子《法言》曰：“自后者人先之，自下者人高之。”必能让己者也。

散势法鸷鸟

散势者，神之使也。〔势者，利害之决，权变之威。〕按本文错简在后，兹校正。按徐幹《中论·贵言》曰：“君子将与人语……必先度其心志。本其器量，视其锐气，察其堕衰，然后唱焉，以观其和。导焉，以观其随。随和之征，发乎音声，形乎视听，著乎颜色，动乎身体。然后可以发迩而步远，功察而治微。于是乎阖张以致之，因来以进之，审谕以明之，杂称以广之，立准以正之，疏烦以理之。疾而勿迫，徐而勿失。杂而勿结，放而勿逸。欲其自得之也。故大禹善治水，而君子善导人。导人必因其性，治水必因其势。是以功无败而言无弃也。”

用之，必循间而动。按《荀子·强国》篇曰：“得间则散。”杨倞注曰：“间，隙也。”威肃内盛，推间而行之，则势散。《论语》曰：“君子……威而不猛。”“君子正其衣冠，尊其瞻视，俨然人望而畏之，不亦威而不猛乎。”夫势散者，心虚志溢，按《庄子·人间世》篇曰：“仲尼曰：若一志，无听之以耳，而听之以心。无听之以心，而听之以气。听止于耳，心止于符。气也者，虚而待物者也。唯道集虚，虚者心斋也。”意衰威失，精神不专，其言外而多变。故观其志意，为〔之〕“之”字据注增度数，乃以揣说图事，尽圆方，齐短长，无〔间〕则不〔行。〕散势者，待间而动，动〔而〕势分矣。按《国语》：“优施以枯菀说里克，使杀太子申生而立奚齐。里克不忍，旦而见平郑告之。平郑曰：‘子谓何？’曰：‘吾对以中立。’平郑曰：‘惜也，不如曰不信以疏之，亦固太子以携之，多为之故以变其志，志少疏乃可间也。今子曰中立，况固其谋也，彼有成矣，难以得间。”平郑之言，所谓散势之术，却语之方也。按陆佃注《鹖冠子》曰：“间，巇隙也。”故善思间者，必内精五气，外观虚实，动而不失分散之实。动则随其志意，知其计谋。势散者，不以神肃察也。

转圆法猛兽

按孙季逑云，疑即“转丸”

转圆者，无穷之计也。无穷者，必有圣人之心，以原不测之智；以不测之智，而通心术。〔故圣人怀此之用，转圆而求其合。〕按自此句下多错简，兹校正。〔故与造化者为始，动作无不包大道，以观神明之域。〕而神道混沌为一。以变论万类，说义无穷。按《荀子·儒效》篇曰：“其言有类，其行有礼，其举事无悔，其恃险应变曲当。与时迁徙，与世偃仰。千举万变，其道一也，是大儒之稽也。”又《性恶》篇曰：“多言则文而类。终日议其所以言之千举万变，其统类一也。是圣人之知也。”智略计谋，各有形容。或圆或方，或阴或阳，或吉或凶，事类不同。天地无极，人事无穷，各以成其类，见其计谋。必知其吉凶成败之所终也。按《易》孔子曰：“知至，至之，可与几也。知终，终之，可与存义也。”又按《书·蔡仲之命》曰：“慎厥初，惟厥终，终以不困。”

转圆者，或转而吉，或转而凶。圣人以道先知存亡，乃知转圆而从方。按《淮南子·人间训》曰：“或誉人而适足以败之，或毁人而反以成之。”“事或为之，适足以败之；或备之，适足以致之。”必知成败之数，乃能转吉转凶也。又按《中庸》曰：“至诚之道，可以前知，……祸福将至，善，必先知之；不善，必先知之。”此先知存亡之说也。又贾子《新书》曰：“先王见终始之变，知存亡之由，是以牧之以道。又曰：善为天下者，因祸而为福，转败而为功。”皆此义也。**圆者，所以合语。方者，所以错事。转化者，所以观计谋。接物者，所以观进退之意。**按《淮南子·人间训》曰：“或争利而反强之，或听从而反止之。”“或明礼义，推道理而不行。或解构妄言，而反当。”此则极合语错事之能事也。**皆见其会，乃为要结，以接其说也。**

损兑法灵蓍

按陶注引《老子》“塞其兑”，以心眼释“兑”，谓“兑者，以心眼察理也”。陶说非也。“兑”者，说也。详见下文拙注。

损兑者，几危之决也。按《易》曰:“损益盈虚，与时偕行。”《彖》曰:“损，损下益上，其道上行。”王弼注曰:“损之为道，损下益上，损刚益柔也。”又《彖》曰:“损刚益柔有时。”“故曰：损者行也，盖上行也。”又《易·彖》曰:“兑，说也。刚中而柔外，说以利贞。是以顺天而应乎人。说以先民，民忘其劳。说以犯难，民忘其死。”《象》曰:“丽泽兑，君子以朋友讲习。”故曰：兑者，口说也。又按《易·系辞》曰:“损德之修也。”“损以远害。”此谓几危之决也。又《说卦》言:“兑为口”，“巽者，入也’，入而后说之，故受之以兑。兑者，说也，说而后散之，故受之以涣。”此言几危既决，然后入而说之也。所谓损兑法灵蓍也。又按《易·系辞》曰:“几者动之微，吉凶之先见者也。”《荀子·解蔽》篇引《道经》曰:“人心之危，道心之微。”《解蔽》

篇又曰："危微之几，惟明君子而后能知之。"《管子·侈靡》篇曰："阳者进谋，几者应感。"房注曰："显明其事者，欲进而为谋，几理之动，唯应所感也。"事有适然，物有成败，几危之动，不可不察。按《淮南子·缪称》引曰："《易》曰即鹿无虞，惟入于林中，君子几，不舍，吝。"许注曰："几，终也。"兑者，〔知〕之也。损者，行之也。〔益之损之，皆为之辞。〕按本章自此句下多错简，兹校正。按《易·说卦》："兑以说之。""说言乎兑。""兑者，说也。"又韩康伯注《杂卦》："兑见而巽伏也。"又言："兑贵显说。"则兑者说也。又按《说文》："兑，说也。"段注曰："说者，今之悦字，借为阅，阅同穴。"《诗·大雅》曰："行道兑矣。"传曰："兑，成蹊也，松柏斯兑。"此为引伸之义。下文"以见其兑威"，此"兑"字，则宜作隙穴之义。损之说之，物有不可者，圣人不为辞也。

故智者不以言，失人之言。故辞不烦而心不虚，志不乱而意不邪。故圣人以无为待有德，言察辞，合于事。〔当其难易而后为之谋，自然之道以为实。〕〔用分威散势之权，以见其兑，威按"威"字疑衍其机危乃为之决。〕〔圆者不行，方者不止，是谓大功。〕故善损兑者，譬若决水于千仞之堤，转圆石于万仞之溪。而能行此者，形势不得不然也。

持枢

持枢，谓春生夏长，秋收冬藏，天之正也，不可干而逆之。逆之者，虽成必败。故人君亦有天枢，生养成藏，亦复不可干而逆之。逆之，虽盛必衰。此天道，人君之大纲也。

中经

〔《本经》记事者，纪道数，其变要在《持枢》《中经》。〕按此十六字疑系战国时人注释之词，不宜羼入正文，兹特校正。中经，谓振穷趋急，施之能言厚德之人。救拘执穷者，不忘恩也。按《管子·五辅》篇曰："养长老，慈幼孤，恤鳏寡，问疾病，吊祸丧，此谓匡其急。衣冻寒，食饥渴，匡贫窭，赈罢露，资乏绝，此谓赈其穷。"又《说苑》曰："饥渴得食，谁能不喜？赈穷救急，何患无有？"能言者，俦善博惠。施德者依道，而救拘执者，养使小人。按王通《中说》言曰："薛收善接小人，远而不疏，近而不狎，颓如也。"此言善养使小人者也。盖士当世异时〔危〕，或当因免阗坑，或当伐害能言，或当破德为雄，或当抑拘成罪，或当戚戚自善，或当败败自立。

故道贵制人，不贵制于人也。制人者握权，制于人者失命。是以见形为容，象体为貌，闻声和音，解仇斗郄，缀去却语，摄心守义。

见形为容，象体为貌者，谓爻为之主也。按徐幹《中论》引孔子曰："唯君子然后贵其言，贵其色。"荀卿曰："色从，然后可与言道之致。"又按《淮南子·缪称训》曰："说之所不至者，容貌至焉。容貌之所不至者，感忽至焉。”许注曰：“说之粗，不如容貌精微之入人深也。”《易》曰：“系辞焉以断其吉凶，是故谓之爻。”可以影响形容象貌而得之也。有守之人，目不视非，耳不听邪，言必《诗》《书》，行不淫僻，以道为形，以听为容，貌庄色温，不可象貌而得也。如是，隐情塞郄，〔微〕而去之。按《说苑》曰：“是以贤人闭其智，塞其能，待得其人然后合。故言无不听，行无见疑。”闭智塞能者，隐情塞郄也，盖待其人然后合也。本文“去”字疑为“待”之误。若有守之人，非辩士所能撼，则伊尹、太公不合于汤与文王矣。此非《鬼谷》之意甚明。熟读全书固知智者之说，“因化说事，通达计谋”，必无窘于“有守之人”之理。陶解既因其误，遂使后人误以为鬼谷之学，邪僻而不轨于正，岂不冤哉？又按刘向《说苑》曾引鬼谷之言甚精辨（见《逸文》）。今本《鬼谷》无此文。知刘固见《鬼谷》全书者。此其征引，必本《鬼谷》可知。吾人试按其言：“文信侯、李斯，天下所谓贤也，为国计揣微射隐，所谓无过策也。”其言直为揣情之论，与《鬼谷》同符若合一契。吾故以《说苑》正今本之误，自谓其不谬也。

闻声和音者，谓声气不同，则恩爱不接。故商、角不二合，徵、羽不相配。按《乐记》曰：“其哀心感者，其声噍以杀。其乐心感者，其声啴以缓。其喜心感者，其声发以散。其怒心感者，其声粗以厉。其敬心感者，其声直以廉。其爱心感者，其声和以柔。”此闻声和音之术也。能为四声主者，其唯宫乎。故音不和则悲，是以声散、伤、丑、害者，言必逆于耳也。

虽有美行盛誉，不可比目合翼相须也，此乃气不合、音不调者也。

解仇斗郄，谓解羸微之仇；斗郄者，斗强也。强郄既斗，称胜者高其功、盛其势，弱者哀其负、伤其卑，污其名、耻其宗。故胜者斗其功势，苟进而不知退；弱者闻哀其负，见其伤，则强大力倍，死而〔为〕是也。“为”字疑脱，据注增。郄无极大，御无强大，则皆可胁而并。

缀去者，谓缀己之系言，使有余思也。故接贞信者，称其行，厉其志，言可为可复会之期。喜按此处原文“言可为可复会之期喜”，疑上一“可”字衍。又按“喜”字，疑系“善”字之误。又按《论语》曰：“信近于义，言可复也。”《管子》曰：“言而不可复者，君不言也。”以他人之庶引验，以结往明疑。疑一本作“款款”而去之。按《吕氏春秋·察传》曰：“凡闻言必熟论，其于人必验之以理。”又按《说文》曰：“款，意有所欲也。”杨倞注：“荀子曰：款，诚款也。”又按《说文》有两疑字，一作“[illegible]”，训定也。一作“[illegible]”，训惑也。如《诗》“靡所止疑”及《仪礼》“疑立”等，皆当作“定”解。依此两义，本文上一“疑”字，宜从本义。下一“疑”字，当作定解。又按《荀子·非十二子》篇曰：“信信，信也。疑疑，亦信也。”如其说，则本文或脱一“疑”字，共为三“疑”字。上句明“疑”，下句则为“疑疑而去之”。说亦可通，但究以前说为近是。

却语者，察伺短也。故言多，必有数短之处，识其短验之。动以忌讳，示以时禁，其人因以怀惧，“因以怀惧”四字一作“恐畏”然后结信以安其心，收语盖藏而却之。无见己之所不能于多方之人。

摄心者，谓逢好学伎术者，则为之称远方，验之以道，惊以奇怪，人系其心于己。效之以人，验去乱其前，吾归诚于彼。按陶注文本行应作“效之于人，验之于往，复乱其前，吾归诚于彼”。遭淫酒色者，为之术，音乐动之，以为必死，生日少之忧，喜以自所不见之事，终以可观漫澜之命，使有后会。

守义者，谓守以〔仁〕义，探心在内，以合者也。探心，深得其主也。从外制内，事有系由而随之也。故小人比人，则左而用之，至能败家夺国。按《荀子·非十二子》篇曰：“知而险，贼而神，为诈而巧，言无用而辩，辩不给惠而察，治之大殃也。行僻而坚，饰非而好，玩奸而泽，言辩而逆，古之大禁也。此所谓小人也。”非贤智，不能守家以义，不能守国以道。圣人所贵道微妙者，诚以其可以转危为安、救亡使存也。

附　录

《说苑 · 善说》篇引《鬼谷子》曰：人之不善而能矫之者，难矣。说之不行，言之不从者，其辨之不明也。既明而不行者，持之不固也。既固而不行者，未中其心之所善也。辨之明之，持之固之，又中其人之所善，其言神而珍、白而分，能入于人之心。如此而说不行者，天下未尝闻也。

《史记 · 太史公自序》云：故曰：圣人不朽，时变自守。《索隐》曰：此出《鬼谷子》，迁引之以成其章。故称“故曰”也。

《史记 · 田世家》索隐引《鬼谷子》云：田成子杀齐君十二代而有齐国。按《庄子 · 胠箧篇》文与此同

《太平御览 · 治道部》引《鬼谷子》曰：事圣君，有听从无谏诤。中君，有谏诤无谄谀。事暴君，有补削无矫拂。

又曰：君得名则群臣恃之。

《意林》引《鬼谷子》曰：人动我静，人言我听。能固能去，在我而问。知性则寡累，知命则不忧。忧累去，

则心平，心平而仁义著矣。

又曰：以德养民，犹草木之得时。以仁化人，犹天生草木以雨润泽之。以上七条《鬼谷子》逸文

《文选注·鬼谷子序》曰：周时有豪士，隐于鬼谷者，自号鬼谷子。言其自远也。然“鬼谷”之名，隐者通号也。

《太平御览·礼仪部·鬼谷子》曰：周有豪士，居鬼谷，号为鬼谷神生。苏秦、张仪往见之。先生曰：“吾将为二子陈言至道，子其斋戒，择日而学。”后仪、秦斋戒而往。此条疑是《鬼谷子》序文

晁公武《读书志》尹知章叙：秦、仪复往见先生。乃正席而坐，严颜而言，告二子以全身之道。

《史纪·苏秦列传》索隐曰：乐壹注《鬼谷子》书云：苏秦欲神秘其道，故假名鬼谷。以上四条《鬼谷子》序

《史记·苏秦列传》：苏秦东师事于齐，而习之于鬼谷先生。徐广曰：颍川阳城有鬼谷，盖是其人所居，因为号。骃案：《风俗通义》曰：鬼谷先生，六国时纵横家。《索隐》曰：鬼谷，地名也。扶风池阳、颍川阳城并有鬼谷墟。盖是其人所居，因为号。《集解》：《鬼谷子》有《揣》《摩》篇也。王劭云：《揣情》《摩意》，是《鬼谷》之二章名，非为一篇也。

《法言》云：仪、秦学乎鬼谷术。

《论衡·答佞》篇：苏秦、张仪纵横习之鬼谷先生。掘地为坑，曰："下，说令我泣，出则耐分人君之地。"苏秦下，说鬼谷先生泣下沾襟。又《明雩》篇：苏秦、张仪悲说坑中，鬼谷先生泣下沾襟。

王嘉《拾遗记》曰：张仪、苏秦二人递剪发以相活，或佣力写书。行遇圣人之文，无以题记，则以墨书于掌中，及股里，夜还折竹写之。二人假食于路，剥树皮为囊，以盛天下良书。每息大树之下，假息而寐。有一先生问曰："二子何勤苦若是？"而仪、秦共与言论曰："子是何人？"答曰："吾死生于山谷，世论谓余归谷子也。"秦、仪后游学，复逢归谷子。乃请其学术，则教以干世俗之辩。乃探胸中韦秩三卷，书言辅时之事，故仪、秦学之以终身也。《古史考》云：仪、秦受术鬼谷先生。归之声与鬼相乱故也。

《金楼子》曰：秦始皇闻鬼谷先生言，因遣徐福入海内求金菜玉蔬。别有《真隐传》《录异记》二条，乃后人妄托，其辞鄙俗，今不录。

《鬼谷子》篇目考

《隋书·经籍志》：纵横家：《鬼谷子》三卷。皇甫谧注：鬼谷子，周世隐于鬼谷。《鬼谷子》三卷。乐壹注

《旧唐书·经籍志》：《鬼谷子》二卷。苏秦撰又三卷。乐壹注又三卷。尹知章注

《新唐书·艺文志》：《鬼谷子》二卷。苏秦乐壹注《鬼谷子》三卷。尹知章注《鬼谷子》三卷。尹知章不著录

柳宗元《鬼谷子辩》曰：元冀好读古书，然甚贤鬼谷子。为其指要几千言。鬼谷子要为无取。汉时刘向、班同录书，无《鬼谷子》。《鬼谷子》后出。而险盩峭薄，盩音戾恐其妄言，乱世难信，学者宜其不道。而世之言纵横者时葆其书。尤者晚乃益出《七术》，《鬼谷子》下篇有《阴符七术》，谓盛神法五龙、养志法灵龟、实意法螣蛇、分威法伏熊、散势法惊鸟、转圜法猛兽、损兑法灵蓍七章是也。怪谬异甚，不可考校。其言益奇而道益陿。张云："陿" 音 "洽"，隘也。使人狙狂失守，狙，子余反。而易于陷坠。幸矣，人之葆之者少。今元子又文之以指要，呜呼！其为好术也过矣。

《中兴书目》：《鬼谷子》三卷。周时高士，无乡里族

姓名字，以其所隐自号鬼谷先生。苏秦、张仪事之，授以《捭阖》下至《符言》等十有二篇，及《转圆》《本经》《持枢》《中经》等篇，亦以告仪、秦者也。一本始末皆东晋陶宏景注。一本《捭阖》《反应》《内揵》《抵巇》四篇，不详何人训释。中、下二卷与宏景所注同。

《宋史·艺文志》:《鬼谷子》三卷。

晁公武《读书志》:《鬼谷子》三卷，鬼谷先生撰。按《史记》，战国时隐居颍川阳城之鬼谷，因以自号。长于养性治身。苏秦、张仪师之，受纵横之事。叙王伯厚《汉书艺文志考证》引晁氏《读书志》云：尹知章叙。谓此书即授秦、仪者，捭阖之术十三章，《考证》引注云：一云十二章。《本经》《持枢》《中经》三篇，《考证》引注云：一云受《转丸》《胠箧》三章。梁陶宏景注。按马氏《通考·经籍志》引《读书志》此下有"《隋志》以为苏秦书，《唐志》以为尹知章注，未知孰是。陆龟蒙诗谓鬼谷先生名诩，不详所从出。"三十五字。柳子厚尝曰：刘向、班固录书无《鬼谷子》。《鬼谷子》后出，而嶅峭薄，恐其妄言乱世难信。尤者晚乃益出七术，怪谬异甚，言益隘，使人狙狂失守。来鹄亦曰：鬼谷子昔教人诡给激讦，揣测俭猾之术悉备于章，学之者惟仪、秦而已。如捭阖、飞箝，实今之常态。是知渐漓之后，不读鬼谷子书者，其行事皆得自然符契也。昔苍颉作文字，鬼为之哭。不知鬼谷作是书，鬼何为耶？世人欲知鬼谷子者，观二子言略尽矣。故掇其大要，著之篇。

郑樵《通志·艺文略》:《鬼谷子》三卷。皇甫谧注：鬼谷先生，楚人也，生于周世，隐居鬼谷。又三卷。乐壹注又三卷。唐尹知章注又三卷。梁陶宏景注

马端临《通考·经籍志》:《鬼谷子》三卷。

王应麟《玉海》引《史记正义》：鬼谷，谷名，在雒州阳城县北五里。《七录》有苏秦书。乐壹注云：秦欲神秘其道，故假名鬼谷也。《鬼谷子》三卷，乐壹注。乐壹字正，鲁郡人。有《阴符七术》、有《揣》及《摩》二篇。《战国策》云：得太公阴符之谋。伏而诵之，简练以为《揣》《摩》。期年，《揣》《摩》成。按《鬼谷子》乃苏秦书，明矣。

王应麟《汉书艺文志考证》：纵横，苏子三十二篇。《鬼谷子》三卷。乐壹注云：苏秦欲神秘其道，故假名鬼谷也。《史记正义》:《战国策》云：乃发书陈箧数十，得太公阴符之谋。伏而诵之，简练以为《揣》《摩》。《鬼谷子》有《阴符七术》，有《揣》及《摩》二篇，乃苏秦书明矣。东莱吕氏曰：战国游说之风，苏秦、张仪、公孙衍实倡之。秦，周人也。仪与衍，皆魏人也。故言权变辩智之士，必曰三晋两周云。石林叶氏曰：苏秦学出于《揣》《摩》，未尝不卓然有志天下，反复无常，不守一道，度其隙，苟可入者，则为之，此揣摩之术也。故始求说周，

周显王不能用，则去而之秦。再求说秦，秦孝公不能用，则去而之燕。幸燕文侯适合，而从说行。其所以说周者，吾不能知。若秦孝公而听之，则必先为衡说以噬六国，何有于周？此苏秦所以取死也。《太平御览》引苏秦曰：天子坐九重之内，树塞其门，旅以翳明，衡以隐听，鸾以抑驰。《后汉·王符传》注引苏子曰："人生一世，若朝露之宅于桐叶耳，其与几何？"《御览》又引："兰以芳自烧，膏以肥自焫，翠以羽殃身，蚌以珠致破。"秦恩复按：苏子三条，其文与《鬼谷子》不类，则《鬼谷》之非苏秦书明矣。刘氏泾曰：老之翕张，儒之阖辟，其与鬼谷往来如环。鬼幽而显者也，谷扣而应者也。藏幽露显，一扣一应，信如其名哉。此条亦王伯厚《考证》所引，故附录之。

棪谨案：马总《意林》引:《苏子》十八卷，名淳，卫人也。《御览》所引"兰以芳自烧"，均见《意林》。秦氏以苏淳认为苏秦，误也。

高似孙《子略》曰：战国之事危矣。士有挟隽异豪伟之气，求骋乎用。其应对酬酢，变诈激昂，以自放于文章，见于顿挫险怪离合揣摩者，其辞又极矣。鬼谷子书，其智谋，其数术，其变谲，其辞谈，盖出于战国诸人之表。夫一辟一阖，易之神也。一翕一张，老氏之几也。鬼谷之术，往往有得于阖辟翕张之外。神而明之，益至于自放，溃裂而不可御。予尝观诸《阴符》矣，穷天之用，贼人之私，而阴谋诡秘，有金匮韬略之所不可该者，而鬼谷尽得而泄之，其亦一代之雄乎！按刘向、班固录书无《鬼谷子》。《隋志》始有之，列于纵横家。《唐志》以为苏秦之书。然苏秦所记，以为周时有豪士隐居鬼谷，自号鬼谷先生，无乡里族姓名字。今考其言，有曰："世无常贵，事无常师。"又曰："人动我静，人言我听。知性则寡累，知命则不忧。"凡此之类，其为辞亦卓然矣。至若《盛神》《养志》诸篇，所谓中稽道德之祖，散入神明之迹者，不亦几乎？郭璞《登楼赋》有曰："揖首阳之二老，招鬼谷之隐士。"又《游仙诗》曰："青溪千余仞，中有一道士。借问此何谁？云是鬼谷子。"可谓慨想其人矣。徐广曰："颍川阳城有鬼谷，注其书者乐壹、皇甫谧、陶宏景、尹知章。"知章唐人

陈振孙《书录解题》:《鬼谷子》三卷。战国时苏秦、张仪所师事者，号鬼谷先生。其地在颍川阳城，名氏不传于世。此书《汉志》亦无有，隋、唐《志》则直以为苏秦撰，不可考也。《隋志》有皇甫谧、乐壹二家注。今本称陶宏景注。又云：按《唐书·艺文志》作二卷。

钱曾《读书敏求记》：陶宏景注《鬼谷子》三卷。鬼谷子无乡里族姓名字，战国时隐居颍川阳城之鬼谷，故以为号。其《转丸》《胠箧》二篇，今亡。贞白曰：或云即《本经》《中经》是也。

陈乃乾《鬼谷子》校记

明钞《鬼谷子》，苏州文氏旧藏。乾隆甲寅，严九能以述古堂钞本校过。又经卢召弓覆校。明年，徐北溟再校。咸丰丁巳，劳平甫又校。今归江安傅氏。缪小珊尝借校于秦刻本上，佳处甚多。古书流通处既影印秦本，因录其异同为校记，付之，俾附印于后。壬戌五月陈乃乾。

卷上

圣人下有之在天地间

注故为众生下有之先下有也

注能谓才劳改材能

夫贤不肖、智愚、勇怯、仁义缪曰：“仁义”二字疑衍，与贤不肖、知愚、勇怯不同，注亦未及。有差

注股肱各咸尽其力

注以原其同异下有也

注更求其反及也

富贵尊荣显名缪曰：两节皆四字句，名下脱二字，如以“荣显名誉”为句，则“富贵尊"三字不可解。

由此言之无之苞包以德也

注君臣所以能相求者事

常持其网下有而驱之

注报犹由古通合也

别雄雌雌雄注同

如舌之取燔蟠注同骨

圆以道劳改导之

注谓臣向劳改响晦

注即以才方职任之

是谓忘亡情失道

注谓以友道结连于君劳补若王者之臣

注故则能固志于君

注待之以决其无其事

注则出入自由揵开任意也句上有用其情三字

注然后损益时事议论去就也无也

注乃有可以二字立功建德也

注入贡赋赋贡之业

注如此下有则天下无邦

注曰揵而反之下有也

注如员圆环之转

注可谓全身下有之大仪
注因而除劳改赊之
上劳改土无明主
则为之谋下有此道二字

卷中

立势而无而制事
引别钩箝之辞
注人或劳补知过而从之
或称财货琦玮璋珠玉璧帛采色以事之
注谓人能劳改既从化
材能知劳改智睿
注夫人之性劳改情
此所以谓测深探揣情
故计国事者无者此谋之大缪曰：大因注而衍。本也
注故能成事而劳改亦无患也
注彼应符自著
如操钩劳改钓而临深渊
不费而民不知所以服句上劳补国
皆有所难能句上劳补三者二字
注如受劳改运石下有而投水

注夫谋成事必先考合于术数

注自然劳补易言二字利辞

所以关开闭情意也

注其不精劳补不利

其偏害缪改成者也

注今按全书无此文乃乾按：孙诒让曰：按高承《事物纪原》九引乐壹注《鬼谷子》曰：肃慎还，周公恐其迷路，造指南车送之。则此为乐注文，今本是陶注，故无此文也。

注后情必相疏

其数行一也

注须别制事以为法

是下有谓因事而裁之

注少则可以无可以二字得众

注愚不智者猜忌

注惟无惟智者可矣

注智劳补者独能用之

注教所憎相千里下有马也

注诱于仁寿劳改义之域也

注既不更劳改受其决

注沛然劳补而莫之能御

德之术曰勿坚而拒之《管子·九守》作听之术曰："勿望而距，勿望而许。"

注因求而与劳改应

开闭不善不见原也乃乾案:“开”当作“关”,善上脱“开”字。

注乃劳改方以圣人为大盗之资

注或曰转丸胠箧劳补二章二字

卷下

盛神下有者中有五气

注无为而自然者无者也

出于与物化

注是四者能不衰劳补减

注此明纵欲者不能养气无气志

必先知其养气无气志

注此明谓丧神始于志不养也

注则下有事多违错

注我有其威劳改盛

待人意虑之交会下有者

注精虚劳改灵动物谓之威

无间则不下有行散势者

注乃后劳改复转圆而从其方

注使风涛潜骇句上有终字

注用其心服章钰曰:服乃眼之误。

注强者劳改大为郄

以他人下有之庶

注如是而去之下有人

注则即以忌讳动之

注然后更理其目劳改日前

终可以劳改以可观

壬子之岁，予于虎邱萃古斋钱氏得此旧钞本。闻有新刻本，未之见也。今春，寄示卢抱经学士，为校一过云，新刻注中脱十余字，得此补之。孟秋之月，过知不足斋，向以文先生假得旧钞本。字甚老草，据以文云是钱遵王述古堂本。予亦未之信，归而以三本对校。新刻本脱落错误极多。上卷《内揵》篇白文注文，共脱四百十有二字。劳校云：实四百五十一字，当改正。而此本亦同。其余更不必言。不有钱氏本，则无以见其真矣。大抵此本少愈于刻本，而大段皆同。予既取刻本校阅一过，复以余力校此本，正讹补阙，不一而足，庶可读矣。呜呼！书籍佳否，故不可以钞手精粗论。若不以两本对校，则几乎不弃彼而留此。又重叹夫刊刻古书者之不可轻率，当博访善本以资参考也。乾隆五十有九年秋八月望前一日，芳椒堂主人严元照校罢识。

予既得善本，校此一过，亦殊漏略。季秋之月，抱经学士过予芳椒堂，取去校阅一过，又指出数处，良足是正。吁！予年二十二耳，而心且粗率如此，视抱经先生真不啻霄壤之别矣。孟夏二十三日，元照又识。

甲寅，夏鲍君以文出所藏《鬼谷子》注钞，属余与坊刻对勘。坊刻出《道藏》，其讹脱至多，不可枚举。鲍君所藏为钱遵王旧物，乃据宋本传录者。如卷首所题“东晋贞白先生丹阳陶宏景注”一行，系沿南宋《中兴书目》之误，似即当时馆阁著录之本。余既硃笔细勘，复手录清本一通。且属吾友钱君广伯证定之。因缀数语于简末。嘉庆元年腊月，萧山徐鲲识。

此先友归安严修能手校，复经卢学士泉徐北溟先生重校。北溟补校甚为精寀，学士所校尚有遗漏。惜江都秦氏于嘉庆乙丑重梓此书，但据学士校本耳。秦氏初用藏本校刊，在乾隆己酉，即严跋所云新刻本也。咸丰丁巳六月校秦本一过，并识数语。丹铅生仁和劳权记。

《鬼谷子》世以嘉庆乙丑石研斋刻本为最佳，秦本出于卢抱经所据鲍渌饮藏述古堂本。秦氏又自辑古今论《鬼谷子》者为附录。较乾隆己酉刻《道藏》本，高出不啻倍蓰。壬子二月，傅君沅叔以明钞蓝格本见眎。正文顶格，注文低一格。原出《道藏》。末有“嘉靖乙丑三月九日校毕”一行。又有小字。此本原系苏州文氏所藏，乾隆甲寅严九能以钱述古堂本校过。又经抱经先生覆校。九能有跋。明年徐北溟再校。咸丰丁巳，藏劳平甫所，亦跋之，可谓善本矣。徐北溟于嘉庆元年手写一本，今在况夔生处。曾录其跋。亦按次写入。此书之注，钱氏本次行则云“东晋贞白先生丹阳陶宏景注”。宏景梁人，非东晋，其误不足辨。注中多避唐讳，如以“民”为“人”，“世”为“代”，“治”为“理”，“缧绁”作“缧絏”之类。昔人又以为尹知章注，因其为唐人也。然尹注《管子》，今具存。此书《符言》篇与《管子·九守》篇大略相同。因以彼校此，讹脱甚多，注皆望文生义，果出尹知章手，岂有自注《管子》，而略不省勘乎？然则今本题陶注，固难信。而非尹注则无疑义。异同以朱笔志于眉间，佳字尚不少也。清明后三日，缪荃孙校讫因识。

周广业跋

饮鲍君购得《鬼谷子》注钞本，属余是正。注甚明白简当，自非五季、宋人可及。乃其卷首题曰“东晋贞白先生丹阳陶宏景注”，则非也。陶系梁人，大同初赐谥贞白，东晋之误，无待深辨。案《鬼谷》录自隋《志》，有皇甫谧、乐壹注各三卷。新旧《唐志》无皇甫，而增尹知章注三卷，不闻陶也。陶注始见于晁氏《读书志》。潜溪《诸子辨》继之，卷如乐、尹而亡《转丸》《胠箧》二篇。是本篇卷适与相符。当即宋氏所见者。其书不类古本。如以《捭阖》《反应》《内揵》《抵巇》列上，《飞箝》《忤合》《揣》《摩》《权》《谋》《决事》《符言》并亡篇列中，《本经阴符》七术及《持枢》《中经》列下，与近刻无异。凡文之轶，见于《史记》《意林》《太平御览》诸书者，此皆无之。其篇名，旧有作《反复》《抵巇》《飞鑽》《涅暗》《午合》《揣情》《摩意》《量权》《谋虑》者，今亦不然。至《盛神》《养志》诸篇，正柳子厚所讥“晚乃益出七术，怪谬不可考校”之言。梁世宁遽有此？纵有之，隐居抗志，华阳安用险诡之谈？《梁史》及《邵陵王碑铭》亦绝不言其注《鬼谷》，而伪托焉可乎？《困学纪闻》载：尹知章序《鬼谷子》有云：苏秦、张仪事之，受捭阖之术十三章，复受《转丸》《胠箧》三章。晁氏则但言序谓此书即授秦、仪者。虽详略不同，可证其皆为尹序。序出于尹，安见注不出尹？观其注文，往往避唐讳，如以“民”为“人”，“世”为“代”，“治”为“理”，“缧绁”作“缧絏”之类，而笔法又绝似《管子》注，是为尹注无疑。尹生中宗、睿宗之世，卒于开元六年，故于隆基字不复避也。其注亡篇云：或有取庄周《胠箧》充次第者，以非此书之意不取。注《持枢》云：恨太简促，或简篇脱烂，本不能全故也。盖自底柱漂没之后，五部残缺，不能复睹文德旧本，古注家以为憾事。若果系陶注，则同时刘勰作《文心雕龙》，明言“转丸骋其巧辞，飞箝伏其精术”矣。此岂不见原文者，可遽云《转丸》已亡乎？庾仲容亦梁人，其所钞《子》今在《意林》，“人动我静”及“以德养民”二条，显有完书可据。何是本独以脱烂为恨？此亦是尹非陶之明征矣。乃其讹尹为陶，莫解其由。以意揣之，尹注在旧史，虽云颇行于时。而新《志》却自注云尹知章不著录。意其本在宋初，原无标识。而《持枢》篇注中尝一称“元亮曰”，元亮系晋陶渊明字，或错认陶渊明为陶通明，遂妄立主名，而读者不察，致成久假耳。抑或谄道之徒，既诡鬼谷子为王诩，强名为元微子。复以真白寓情仙术，矫托以注，未可知也。然是注世已罕传，大可宝贵。似宜改题曰：唐国子博士尹知章注。与赵蕤《长短经》合梓以行。其裨益人神智，正不少也。乾隆辛丑闰五月七日，海宁周广业书。

阮元跋

陶宏景注《鬼谷子》，为《道藏》旧本。吾乡秦编修敦夫博览嗜古，精于校雠。因刺取诸书，考订讹谬梓行之。其略见自序中。元读《鬼谷子》中多韵语。又其《抵巇》篇曰：巇者，罅也。读巇如呼，合古声训字之义，非后人所能依托。其篇名有《飞箝》。按《周礼·春官·典同》：微声韽，后郑读为飞钻涅韽之韽，箝、钻同字。贾疏即引《鬼谷子》证之。又《揣》《摩》二篇，似放《苏秦传》简练以为揣摩之语为之。然《史记·虞卿传》称《虞氏春秋》，亦有《揣摩》篇，则亦游说者之通语也。窃谓书苟为隋唐《志》所著录，而今仅存者，无不当精校传世。况是编为纵横家独存之子书，陶氏注又世所久佚，诚网罗古籍者所乐睹也。阮元跋尾。

图书在版编目（CIP）数据

鬼谷子哲学 / 俞棪著．—北京：北京理工大学出版社，2020.5
（古典·哲学时代 / 马东峰主编）
ISBN 978-7-5682-8244-4

Ⅰ．①鬼… Ⅱ．①俞… Ⅲ．①纵横家 ②《鬼谷子》－研究
Ⅳ．① B228.05

中国版本图书馆 CIP 数据核字（2020）第 042693 号

出版发行 / 北京理工大学出版社有限责任公司
社　　址 / 北京市海淀区中关村南大街 5 号
邮　　编 / 100081
电　　话 /（010）68914775（总编室）
（010）82562903（教材售后服务热线）
（010）68948351（其他图书服务热线）
网　　址 / http://www.bitpress.com.cn
经　　销 / 全国各地新华书店
印　　刷 / 保定市中画美凯印刷有限公司
开　　本 / 787 毫米 ×1092 毫米　1/32
印　　张 / 7.875
版　　次 / 2020 年 5 月第 1 版　2020 年 5 月第 1 次印刷
字　　数 / 139 千字
定　　价 / 32.00 元

责任编辑 / 朱　喜
文案编辑 / 朱　喜
责任校对 / 顾学云
责任印制 / 王美丽